Deutsche Nobelpreisträger

Deutsche Beiträge zur Natur- und Geisteswissenschaft,
dargestellt am Beispiel der Nobelpreisverleihungen
für Frieden, Literatur, Medizin, Physik und Chemie

Verfaßt von Armin Hermann, Jürgen Kolbe, Klaus Lindenberg,
Christian Linder, Grete Ronge, Ernst Weber und Rolf Winau
Herausgegeben von Armin Hermann

Fünfte, erweiterte und verbesserte Auflage
mit 3 Farbtafeln, 174 Porträts, Vignetten
und einer tabellarischen Übersicht

Verlag Moos & Partner München

Zu den Farbtafeln

Seite 8/9: Faksimile der *Verleihungsurkunde* an Emil von Behring
Seite 12: Hans Erni, *Albert Einstein*
Seite 16: Enrico Richter, *Die Naturwissenschaft*

CIP-Kurztitelaufnahme der Deutschen Bibliothek

Deutsche Nobelpreisträger : dt. Beitr. zur
Natur- u. Geisteswiss., dargest. am Beispiel d.
Nobelpreisverleihungen für Frieden, Literatur,
Medizin, Physik u. Chemie / verf. von Armin
Hermann ... Unter Gesamtred. von Armin Hermann.
[In Zusammenarbeit mit Inter Nationes, Bonn–
Bad Godesberg]. – 5. Aufl. – München [i.e. Gräfelfing] : Moos, 1987.
  Bis 3. Aufl. im Verl. H. Moos, Gräfelfing
  ISBN 3-89164-022-6
NE: Hermann, Armin [Mitverf.]

© Verlag Moos & Partner KG, 8032 Gräfelfing vor München
Printed in the Federal Republic of Germany

ISBN 3-89164-022-6

Vorwort

Der 1896 verstorbene schwedische Industrielle Alfred Nobel verfügte in seinem Testament die Errichtung einer Stiftung und aus deren Zinsen die jährliche Verteilung von fünf Preisen: für Physik, für Chemie, für Medizin oder Physiologie, für Literatur und für Frieden. 1901 kam es zu den ersten Verleihungen. Ausgezeichnet wurden Wilhelm Conrad Röntgen (Physik), Jacobus Henricus van't Hoff (Chemie), Emil von Behring (Medizin), Sully Prudhomme (Literatur) sowie Henri Dunant und Frédéric Passy (Frieden). Im Jahre 1968 ist durch eine Stiftung der Schwedischen Reichsbank ein Alfred-Nobel-Gedächtnispreis für Wirtschaftswissenschaften geschaffen worden, der der Einfachheit halber ebenfalls als »Nobelpreis« bezeichnet wird.

Zuständig für die Vergabe des Friedenspreises ist das norwegische Parlament, für den Literaturpreis die 1786 gegründete »Schwedische Akademie«, für den Preis für Medizin das »Karolinska Institutet« und für die Preise für Physik, für Chemie und für Wirtschaftswissenschaften die 1739 gegründete Königlich Schwedische Akademie der Wissenschaften. Während die Verleihung des Literatur- und des Friedenspreises immer wieder leidenschaftliche Erörterungen provozierte, wurden die Entscheidungen auf dem Gebiete der Wissenschaft von der scientific community fast ausnahmslos akzeptiert. Wollte man heute, aus dem größeren zeitlichen Abstand, die bedeutendsten Forscher aus den Gebieten Physik, Chemie und Medizin benennen, würde die Liste nicht wesentlich anders ausfallen.

Der Nobelpreis verleiht hohes Ansehen in der scientific community und in der Öffentlichkeit. Damit ist ein großer Einfluß des Laureaten verbunden, der längst wichtiger geworden ist als der nicht unbeträchtliche Geldpreis. So kommt dem Nobelpreis auch eine eminente wissenschaftspolitische Bedeutung zu. Die bevorzugte Verleihung des Chemiepreises für das Teilgebiet »Physikalische Chemie« hat, um nur ein Beispiel zu nennen, erheblich zum Aufschwung dieses Faches beigetragen.

Das Verfahren, durch das die Preisträger ausgewählt wurden, ist kompliziert. Wir beschränken uns in der Beschreibung auf die Preise für Physik und für Chemie. Zunächst wird eine große Zahl von Fachvertretern aufgefordert, Vorschläge einzureichen. Dabei gibt es zwei Gruppen von »Nominatoren«, solche, die regelmäßig vorschlagsberechtigt sind, und andere, die nur für ein bestimmtes Jahr aufgefordert werden. Zu den permanenten Nominatoren gehören die Mitglieder der Schwedischen Akademie der Wissenschaften, die Professoren der skandinavischen Universitäten und Technischen Hochschulen für das betreffende Fach und die Nobelpreisträger für Physik beziehungsweise Chemie.

Die Vorschläge müssen bis zum 31. Januar eingegangen sein und gehen an das entsprechende drei- bis fünfköpfige Nobelkomitee. Das Komitee stellt während einer Sitzung im Februar eine Liste von Kandidaten auf, über die dann Gutachten eingeholt werden. Das können Gutachten sein, die eine bestimmte Entdeckung würdigen oder das wissenschaftliche Gesamtwerk eines Forschers. Aufgrund der ersten Ergebnisse werden dann in einer erneuten Sitzung im Mai vorläufige Beschlüsse über die Empfehlung gefaßt und die weiteren Nachforschungen entsprechend konzentriert.

Die endgültige Empfehlung des Nobelkomitees wird im September formuliert; mit ihr befaßt sich zunächst die entsprechende Klasse der Schwedischen Akademie der Wissenschaften. Das heißt also, daß das Nobelkomitee für Chemie seine Empfehlung der chemischen Klasse der Akademie überreicht. Die Klasse erarbeitet eine Stellungnahme, und Ende Oktober gehen dann die Empfehlungen der Komitees und die Stellungnahmen an die Gesamt-Akademie, die sich Mitte November zur endgültigen Beschlußfassung versammelt.

Durch die Statuten der Nobelstiftung waren ursprünglich die Protokolle der Entscheidungsgremien und damit die Entscheidungsgründe keinem Außenstehenden zugänglich. 1974 kam es zu einer Änderung der Statuten, und die Archive der Nobelstiftung wurden, zunächst für die Jahre bis 1916, für die wissenschaftshistorische Forschung geöffnet. 1979 beschloß die Akademie grundsätzlich, alles Material, das älter ist als 50 Jahre, der Forschung freizugeben. Inzwischen liegen auch schon die ersten Ergebnisse dieser Forschungen vor. Der interessierte Leser findet Hinweise auf diese Arbeiten in der Bibliographie auf Seite 182 unten.

Was das vorliegende Werk über die deutschen Nobelpreisträger betrifft, so kann es natürlich nicht darum gehen, den »Anteil« Deutschlands am Kultur- und Geistesleben der Welt zu dokumentieren, wie dies 1911 bei der Gründung der Kaiser-Wilhelm-Gesellschaft Emil Fischer getan hat, als er feststellte, daß 60% aller Chemie-Nobelpreise an das Deutsche Reich gefallen seien. Vielmehr soll gezeigt werden, wie sich die deutschen Beiträge im Konzert der Völker harmonisch einfügen. Über alle politischen Grenzen hinweg werden die Leistungen der Nobelpreisträger anerkannt und verstanden. Aus dem Verständnis der Leistungen mag sich auch ein Verständnis anbahnen für die Persönlichkeiten selbst, die unverkennbar auch Züge aufweisen, die typisch sind für das Volk, dem sie entstammen. Ihr Werk freilich gehört der ganzen Welt: Wissenschaft, Geist, Frieden, das sind unteilbare Güter, die die Anstrengungen aller Menschen verdienen und erfordern.

Die Mitarbeiter und der Herausgeber dieses Buches über die deutschen Nobelpreisträger waren der Meinung, daß Persönlichkeiten, die den Weg in die Emigration wählen mußten, mit aufgenommen werden sollten, wenn der Höhepunkt ihrer Wirksamkeit in die Zeit vor 1933 fiel. Andererseits wurden Forscher mit nicht-deutscher Staatsangehörigkeit, die zur Zeit der Preisverleihung in Deutschland arbeiteten, auch wenn sie ganz einbezogen waren in das wissenschaftliche Leben des Landes, den Gepflogenheiten entsprechend, nicht als Deutsche gezählt. So fehlen Persönlichkeiten wie Jacobus Henricus van't Hoff, Karl Ritter von Frisch und Konrad Lorenz.

Auf diese Weise ergaben sich insgesamt vier Preisträger für Frieden, acht für Literatur, elf für Medizin und Physiologie, achtzehn für Physik und dreiundzwanzig für Chemie. Das ist kein Anlaß zum Stolz und insbesondere nicht, wenn man die Verteilung der Preise auf die verschiedenen Epochen der deutschen Geschichte in Betracht zieht, wie sie der Tabelle auf den folgenden Seiten zu entnehmen ist. Keine Veranlassung zum Stolz also, aber um so mehr Veranlassung zur Reflexion und Selbstprüfung.

Stuttgart, im Frühjahr 1987

Armin Hermann

6

Inhalt

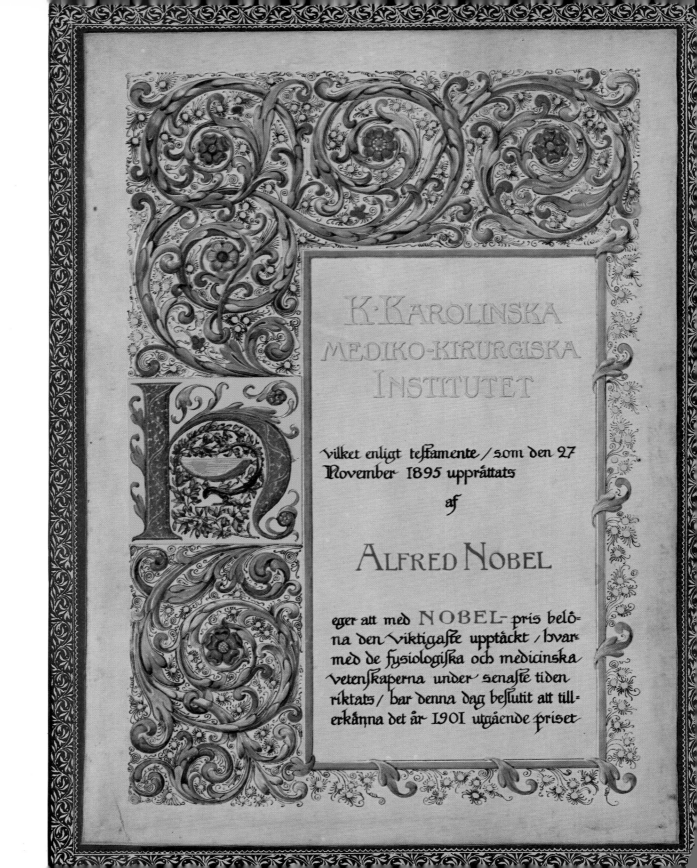

K·KAROLINSKA
MEDIKO-KIRURGISKA
INSTITUTET

vilket enligt testamente / som den 27
November 1895 upprättats

af

ALFRED NOBEL

eger att med NOBEL-pris belö-
na den viktigaste upptäckt / hvar-
med de fysiologiska och medicinska
vetenskaperna under senaste tiden
riktats / har denna dag beslutit att till-
erkänna det år 1901 utgående priset

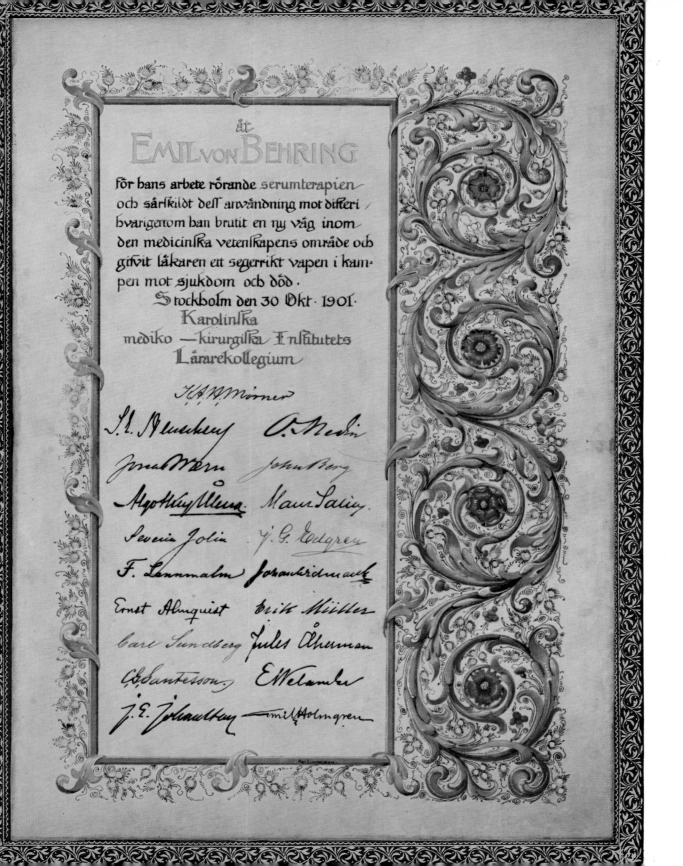

åt

EMIL von BEHRING

för hans arbete rörande serumterapien
och särskildt deß användning mot difteri
hvarigenom han brutit en ny väg inom
den medicinska vetenskapens område och
gifvit läkaren ett segerrikt vapen i kam-
pen mot sjukdom och död.

Stockholm den 30 Okt· 1901·
Karolinska
mediko —kirurgiska Institutets
Lärarekollegium

JAHR	FRIEDEN	LITERATUR	MEDIZIN	PHYSIK	CHEMIE

JAHR	FRIEDEN	LITERATUR	MEDIZIN	PHYSIK	CHEMIE
1901			BEHRING, Emil von Für seine Arbeiten über Serumtherapie und besonders für deren Anwendung gegen Diphtherie, wodurch er einen neuen Weg auf dem Gebiet der medizinischen Wissenschaft gebahnt und dem Arzt eine bezwingende Waffe im Kampf gegen Krankheit und Tod gegeben hat.	RÖNTGEN, Wilhelm Conrad Für die Entdeckung der nach ihm benannten Strahlung.	
1902		MOMMSEN, Theodor Dem größten lebenden Meister der historischen Darstellung, besonders als Anerkennung für seine monumentale »Römische Geschichte«.			FISCHER, Emil Für seine Synthesen auf dem Gebiet der Zucker und Purine.
1903					
1904					
1905			KOCH, Robert Für seine Untersuchungen und Entdeckungen auf dem Gebiet der Tuberkulose.	LENARD, Philipp Für seine Arbeiten über Kathodenstrahlen.	VON BAEYER, Adolf Für seine Forschungen über organische Farbstoffe und hydroaromatische Verbindungen.
1906					
1907					BUCHNER, Eduard Für seine biochemischen Forschungen und seine Entdeckung der zellfreien Gärung.
1908		EUCKEN, Rudolf In Anerkennung seines ernsthaften Suchens nach der Wahrheit, der durchdringenden Kraft der Gedanken, der Weite seines Blickfelds, der Wärme und Eindringlichkeit der Darstellung, womit er in seinen zahlreichen Arbeiten eine idealistische Lebensphilosophie gerechtfertigt und entwickelt hat.	EHRLICH, Paul (mit Metschnikoff) Für ihre Arbeiten über die Immunität.		
1909				BRAUN, Karl Ferdinand (mit Marconi) In Anerkennung ihrer Verdienste um die Entwicklung der drahtlosen Telegraphie. (Marconi: 1895–1897 Bologna, Übertragung drahtloser Signale; Braunsche Röhre 1897 Straßburg.)	OSTWALD, Wilhelm Für seine Arbeiten über Katalyse und die Bedingungen des chemischen Gleichgewichtes und die Geschwindigkeiten chemischer Reaktionen.
1910		HEYSE, Paul In Anerkennung der vollendeten, von Idealismus durchleuchteten Kunst, für die er während langer fruchtbarer Jahre als Lyriker, Dramatiker, Romancier und als Verfasser von weltberühmten Novellen Beweise gegeben hat.	KOSSEL, Albrecht Als Anerkennung des Beitrages, den er durch seine Arbeiten über die Eiweißstoffe einschließlich der Nukleine zur Kenntnis der Chemie der Zelle geleistet hat.		WALLACH, Otto Für seine grundlegenden Arbeiten auf dem Gebiet der alicyclischen Substanzen.
1911				WIEN, Wilhelm Für seine die Gesetze der Wärmestrahlung betreffenden Entdeckungen.	
1912		HAUPTMANN, Gerhart Vor allem als Anerkennung für seine fruchtbare und mannigfaltige Wirksamkeit im Bereich der dramatischen Dichtung.			
1913					
1914	——	——		VON LAUE, Max Für die Entdeckung der Röntgenstrahlinterferenzen in Kristallen.	

JAHR	FRIEDEN	LITERATUR	MEDIZIN	PHYSIK	CHEMIE
		TABELLE DER PREISTRÄGER UND BEGRÜNDUNG DER PREISZUERKENNUNG			
1915	—		—		WILLSTÄTTER, Richard Für seine Forschungen über Farbstoffe im Pflanzenbereich, besonders über Chlorophyll.
1916	—		—	—	—
1917			—		—
1918	—	—	—	PLANCK, Max In Anerkennung seiner Verdienste um die Entwicklung der Physik durch die Entdeckung des Wirkungsquantums.	HABER, Fritz Für die Synthese von Ammoniak aus seinen Elementen Stickstoff und Wasserstoff.
1919				STARK, Johannes Für die Entdeckung des Doppler-Effektes an Kanalstrahlen und für die Aufspaltung von Spektrallinien im elektrischen Feld.	—
1920					NERNST, Walther Für sein thermochemisches Werk.
1921			—	EINSTEIN, Albert Für seine verdienstvollen mathematisch-physikalischen Untersuchungen, insbesondere für die Entdeckung des Gesetzes des photoelektrischen Effektes.	
1922			MEYERHOF, Otto (mit Hill) Für seine Entdeckung des gesetzmäßigen Verhältnisses zwischen dem Sauerstoffverbrauch und dem Milchsäureumsatz in Muskeln. (Hill: 1886 London. Für seine Entdeckung auf dem Gebiet der Wärmeerzeugung der Muskeln.)		
1923	—				
1924	—				—
1925			—	FRANCK, James HERTZ, Gustav Für die Entdeckung der Stoßgesetze zwischen Elektronen und Atomen.	ZSIGMONDY, Richard Für seine Klärung der heterogenen Natur von Kolloidlösungen und für die in Verbindung damit entwickelten Methoden, die seitdem von fundamentaler Wichtigkeit für die moderne Kolloidchemie geworden sind.
1926	STRESEMANN, Gustav (mit Chamberlain, Dawes, Briand)				
1927	QUIDDE, Ludwig (mit Buisson)				WIELAND, Heinrich Für seine Erforschung der Gallensäuren und analoger Substanzen.
1928	—				WINDAUS, Adolf Für seine Studien zur Konstitution der Sterine und ihre Beziehung zu den Vitaminen.
1929		MANN, Thomas Besonders für seinen großen Roman »Die Buddenbrooks«, der sich in den letzten Jahren die Anerkennung als eines der klassischen Werke der zeitgenössischen Literatur erworben hat.			
1930					FISCHER, Hans Für seine Forschungen über die Konstitution von Hämin und Chlorophyll, besonders für seine Häminsynthese.

JAHR	FRIEDEN	LITERATUR	MEDIZIN	PHYSIK	CHEMIE
1931			WARBURG, Otto Heinrich Für seine Entdeckung der Natur und der Wirkungsweise des Atmungsfermentes.	—	BOSCH, Carl BERGIUS, Friedrich Für ihre Beiträge zur Auffindung und Entwicklung der chemischen Hochdrucktechnik.
1932	—			HEISENBERG, Werner Für die Aufstellung der Quantenmechanik, deren Anwendung unter anderem zur Entdeckung der allotropen Modifikationen des Wasserstoffmoleküls geführt hat.	
1933					—
1934				—	
1935	OSSIETZKY, Carl von (mit Lamas)	—	SPEMANN, Hans Für seine Entdeckung des Organisator-Effektes während der embryonalen Entwicklung.		
1936					
1937					
1938					KUHN, Richard Für seine Arbeiten über Carotinoide und Vitamine.
1939			DOMACK, Gerhard Für seine Entdeckung der antibakteriellen Wirkung von Prontosil.		BUTENANDT, Adolf Für seine Arbeiten über Sexualhormone.
1940	—	—	—	—	—
1941	—	—	—	—	—
1942	—	—	—	—	—
1943	—	—			
1944					HAHN, Otto Für seine Entdeckung der Spaltung schwerer Kerne.
1945					
1946		HESSE, Hermann Für sein inspiriertes dichterisches Schaffen, in dessen Entwicklung Kühnheit und das Durchdringen zum Wesentlichen zunehmen, das für die klassischen Ideale eintritt und hohe Kunst des Stils repräsentiert.			
1947					
1948	—				
1949				.	
1950					DIELS, Otto ALDER, Kurt Für die Entwicklung der Diensynthese.
1951					
1952					
1953					STAUDINGER, Hermann Für seine Entdeckungen auf dem Gebiet der makromolekularen Chemie.

TABELLE DER PREISTRÄGER UND BEGRÜNDUNG DER PREISZUERKENNUNG

TABELLE DER PREISTRÄGER UND BEGRÜNDUNG DER PREISZUERKENNUNG				
JAHR	FRIEDEN	LITERATUR	MEDIZIN	PHYSIK	CHEMIE

JAHR	FRIEDEN	LITERATUR	MEDIZIN	PHYSIK	CHEMIE
1954				BORN, Max Für die grundlegenden Forschungsarbeiten zur Quantenmechanik, besonders für die statistische Interpretation der Wellenfunktion. BOTHE, Walter Für die Koinzidenzmethode und die damit erzielten Entdeckungen.	
1955					
1956			FORSSMANN, Werner (mit Cournand und Richards) Für ihre Entdeckungen bei krankhaften Veränderungen des Kreislaufapparates mittels der Herzkatheterisierung.		
1957					
1958					
1959					
1960					
1961				MÖSSBAUER, Rudolf Für seine Untersuchungen zur Resonanzabsorption von Gamma-Strahlen und die Entdeckung des nach ihm benannten Effektes.	
1962					
1963				JENSEN, Hans Für die Schalentheorie des Atomkernes.	ZIEGLER, Karl (mit Natta) Für ihre Verdienste um die Entdeckung und Entwicklung fundamentaler Methoden zum Aufbau organischer Makromoleküle aus einfachen ungesättigten Kohlenwasserstoffen durch katalytische Polymerisation.
1964			LYNEN, Feodor (mit Bloch) Für ihre Entdeckungen über Mechanismus und Regulation bei den Umsätzen von Cholesterin und Fettsäuren.		
1965					
1966	—	SACHS, Nelly (mit Agnon) Für ihre hervorragenden lyrischen und dramatischen Werke, die das Schicksal Israels mit ergreifender Stärke interpretieren.			EIGEN, Manfred (mit Norrish und Porter) Für die Untersuchung extrem schnell verlaufender chemischer Reaktionen mittels Störung des (molekularen) Gleichgewichtszustandes durch Einwirkung sehr kurzfristiger Energiestöße.
1967					
1968					
1969					
1970					
1971	BRANDT, Willy				
1972		BÖLL, Heinrich Für ein Werk, das zur Erneuerung der deutschen Literatur beigetragen hat, indem es ein breites Spektrum von Einsichten gemäß den Forderungen seiner Zeit mit der Sensibilität schöpferischer Kraft vereint.			

JAHR	FRIEDEN	LITERATUR	MEDIZIN	PHYSIK	CHEMIE
TABELLE DER PREISTRÄGER UND BEGRÜNDUNG DER PREISZUERKENNUNG					
1973					FISCHER, Ernst Otto (mit Wilkinson) Für die bahnbrechenden Arbeiten über die metallorganischen Verbindungen mit Sandwich-Struktur.
1974					
1975					
1976					
1977					
1978					
1979					WITTIG, Georg (mit Herbert Brown) Für die Entwicklung von Bor- bzw. Phosphor-Verbindungen zu wichtigen Reagenzien in der organischen Synthese.
1980					
1981					
1982					
1983					
1984			KÖHLER, Georges (mit Niels K. Jerne und Cesar Milstein) Für ihre Theorien über den spezifischen Aufbau und die Steuerung des Immunsystems sowie für die Entdeckung des Prinzips der Produktion von monoklonalen Antikörpern.		
1985				VON KLITZING, Klaus Für die Entdeckung des quantisierten Hall-Effektes.	
1986				RUSKA, Ernst Für die Entwicklung des ersten Elektronenmikroskopes. BINNIG, Gerd (mit Heinrich Rohrer) Für die Konstruktion des Rastertunnelmikroskopes.	
Insgesamt	4 Preisträger	8 Preisträger	11 Preisträger	18 Preisträger	23 Preisträger

Gustav Stresemann

Vom Politiker Gustav Stresemann* heißt es, er habe eine Wandlung und Läuterung durchgemacht, wie sie bei Staatsmännern dieses Formats nicht eben an der Tagesordnung sei, geschweige denn, daß sie zum Gesetz der Geschichte gehöre. Aber aus dieser Wandlung ist eines der besten Stücke deutscher Geschichte geworden. Stresemann sicherte sich damit den Nachruhm vom besseren, vom – trotz allem – demokratischen, vom europäischen Deutschen. Und der Friedensnobelpreis, den er 1926 zusammen mit Aristide Briand* erhielt, gilt heute noch den Optimisten als Ausweis eines guten Deutschland, das um Verständigung und Aussöhnung zwischen den Völkern bemüht ist. Daß dieses Bild entstehen konnte, ist der geistigen Entwicklung eines Mannes zu danken. Auf eine Formel gebracht, heißt dies bei Stresemann: die Läuterung des fleißigen, einseitigen Kleinbürgers zum souveränen Staatsmann. In politische Stationen übersetzt: vom nationalistischen Funktionärsdenken zum versöhnenden Geist von Locarno*. Stresemann hat es sich mit diesem Gesinnungswandel nicht leicht gemacht: wenn auch nicht gesellschaftlich, so war er doch politisch ein Einsamer; denn allzu krass war der angestrengte Übergang aus der kleinen Welt, in der er aufwuchs, in die Verantwortung des Staatsmanns.

Stresemann stammt aus einem Milieu, das mit allen Akzenten des Kleinbürgerlichen versehen war. Der Vater war Gastwirt und Bierverleger, ließ den Sohn aber studieren: Nationalökonomie. Stresemann hatte schnell Erfolg. Er wurde Industriesyndikus, Funktionär der Nationalliberalen Partei und ging politisch auf der Einheitslinie: national und gut monarchistisch gesinnt erwartete er vom Weltkrieg Raum für Deutschland. Das war noch nicht der Stresemann der Weimarer Republik, der Friedensnobelpreisträger. Mit der Niederlage Deutschlands aber wandelte sich Stresemanns politisches Bewußtsein. Der Ruhrkrieg, die soziale und politische Katastrophe, die ganze deutsche Misere nach 1918 ließ diesen Politiker über sich hinauswachsen. Mit beispielloser Energie muß er gelernt und an sich gearbeitet haben. In den hundert Tagen als Reichskanzler schaffte er das schier Unmögliche: Er überwand die erste schwere wirtschaftliche und politische Krise der jungen Weimarer Republik, stoppte die Inflation, verhinderte Putsche. Und vor allem: Der ehemals so stramme Nationale ließ den passiven Widerstand gegen die französischen Ruhrbesatzer abbrechen, er ließ unterbinden, was den meisten Deutschen als »nationale Tat« galt.

Ein »national« denkender Mann blieb er gleichwohl. Trotzdem wußte er ganz genau: Eine Verständigung mit den Alliierten – und sei es auf der Basis des Versailler Vertrages – konnte den deutschen Interessen mehr dienen als die Scharfmacherei der Nationalisten. Auf dem Posten des Außenministers, den er bis zu seinem Tode bekleidete, machte er dies zur Maxime seiner Politik. Und die Erfolge blieben nicht aus: Mit dem Dawes-Plan* erreichte er eine Atempause für die überforderte Wirtschaft. Die Locarnoverträge und die Aufnahme in den Völkerbund erlaubten Deutschland, wieder am weltpolitischen Spiel teilzunehmen. Ein Vertrag sicherte ein freundliches politisches Klima mit Rußland. Unter diesen außenpolitischen Erfolgen war seine entscheidende Tat die Verständigung mit Frankreich, und das hieß: mit Aristide Briand, mit dem er auch den Nobelpreis teilte. In Locarno und Thoiry fanden die beiden grundverschiedenen Männer den Kontakt, der Geschichte machte. Erstaunlich, wie der etwas steif und gedrungen wirkende Stresemann mit dem quicklebendigen Südfranzosen zurechtkam. Aber die massige Er-

*Verweis auf Erläuterungen im Sachindex oder Personenregister

scheinung ließ Stresemanns politische Geschmeidigkeit und seine diplomatische Beweglichkeit kaum ahnen. Ein »Monstrum an Elastizität« nannte ihn Briand. Gewiß, Stresemann verfügte nicht über die Gewandtheit und Sicherheit eines Mannes von Welt. Aber der Mangel – wenn es einer war – wurde durch andere Qualitäten ausgeglichen: durch seine rhetorische Begabung, seine Vitalität und seinen – trotz aller Rückschläge – ungebrochenen Optimismus.

Im persönlichen Lebensstil freilich konnte das politische Genie Stresemann seine Herkunft nicht verleugnen. Sein gastliches, der großen Gesellschaft der »Goldenen Zwanziger Jahre« offenes Haus war eingerichtet im Geschmack des Plüsch- und Bildungsbürgertums. Er hielt sich einen Mops, was ihm die Spießer verargten, denen Bismarcks dänische Doggen wohl teutonisch artgerechter erschienen sein mögen. Seine Belesenheit galt als erstaunlich – mehr breit als tief, berichten die Ohrenzeugen – und war vor allem klassisch orientiert, an Goethe vor allem, über den der ungeheuer fleißige Politiker noch Zeit fand, Vorträge zu halten.

Vielleicht ist die Energie die hervorstechendste Eigenschaft dieses Mannes gewesen, eine Energie, die sich über alle Anfeindungen, Rückschläge und Mißerfolge zu behaupten wußte. Als er mit dem deutsch-französischen Vertrag aus Locarno zurückkehrte, mußte er sich wie ein Verfemter nachts durch Berlin schleichen. »Landesverrat« schrien die Ultras. Und Stresemann hatte weder eine bewaffnete Macht noch eine Massenorganisation hinter sich, die er hätte einsetzen können. Er wollte es allein schaffen. Wenn er es letzten Endes doch nicht schaffen konnte, die schreckliche Zukunft zu vereiteln, so bleibt seine politische Zivilcourage dennoch denkwürdig; dazu gehört auch jener »Mut zur Unpopularität«, wie Stresemann ihn selber gekennzeichnet hat: »Zu wissen, daß man recht hat, daß man nicht anders handeln konnte, als man handelte – und sich auf einmal ganz allein zu finden, verhaßt, geschmäht, verleumdet – sich zu fragen, wie soll man dem Irrtum eines ganzen Volkes standhalten – wie soll man beweisen, daß man als einzelner sich nicht geirrt hat ... es ist die schwerste Prüfung, die einem das Schicksal auferlegt.«

Simplicissimus-Titel »Retter Stresemann« vom Mai 1923

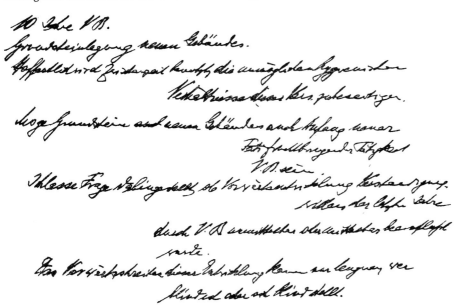

Ausschnitt aus Stresemanns handschriftlicher Disposition für seine letzte Rede vor dem Völkerbund in Genf am 9. 9. 1929

Gustav Stresemann 1926

Ludwig Quidde   1927

Ludwig Quidde

Die Zeit, in der Ludwig Quidde* aufwuchs, war für Menschenfreunde seiner Qualität nicht eben günstig: die Wilhelminische Ära. Schon als Student engagierte sich der Kaufmannssohn aus Bremen gegen den Zeitgeist. Zusammen mit Freunden protestierte er – nicht eben erfolgreich – gegen den Antisemitismus im Deutschland der Gründerjahre: gegen den reaktionären Hofprediger Adolf Stöcker* und gegen den preußischen Hofhistoriker Heinrich von Treitschke*. Eine Streitschrift zur antisemitischen Agitation in der deutschen Studentenschaft brachte ihm zwar zwei Auflagen, aber auch einige Duellforderungen ein. Zeitlebens war es dem friedliebenden Quidde peinlich, daß er sich einmal auf einen solchen Kugelwechsel »auf Ehre« eingelassen hat. In der Tat passen diese Feudalspiele nicht zu einem Mann, der mit geradezu beängstigender Beharrlichkeit an das Gute im Menschen glaubte. Als standhafter und couragierter Friedensfreund hatte er seine Jugend unter das Goethe-Motto gestellt: »Aufrichtig zu sein, kann ich versprechen, unparteiisch zu sein aber nicht.« Parteiisch war er immer, wenn es für eine friedfertige Sache zu streiten galt: ein geborener Friedensstifter, der freilich in einer militanten Epoche auf verlorenem Posten stand. Wo immer Ludwig Quidde – im Hauptberuf Historiker – wirkte, organisierte er Friedensbewegungen: 1894 gründete er die Münchener Friedensgesellschaft, bis 1929 war er Vorsitzender der Deutschen Friedensgesellschaft*, er amtierte als Vizepräsident des Internationalen Friedensbureaus und war lebenslängliches Mitglied der Interparlamentarischen Union. Als Parlamentarier im Bayerischen Landtag und dann von 1919 bis 1920 in der Nationalversammlung kämpfte er unermüdlich für seine Ziele. Auch die Anfeindungen und Verfolgungen, die er während des Ersten Weltkriegs zu dulden hatte, konnten seine pazifistische Überzeugung nicht brechen.

Schriftprobe Quiddes aus einem Brief vom 28. 2. 1889 an Geheimrat Dr. Alth

23

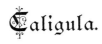

Caligula.

Eine Studie über römischen Cäsarenwahnsinn

von

L. Quidde.

Sechzehnte Auflage.

Leipzig.
Verlag von Wilhelm Friedrich.

Karikatur zum Caligula-Prozeß
»Jung-Ajax [Wilhelm II.] verschlingt
seinen Quidde«
The Weekly Times and Echo 1894
Links: Titelblatt der
Caligula-Broschüre

Der Katalog der Ämter, die Ludwig Quidde in gutgemeinten, aber letzten Endes wenig erfolgreichen Organisationen bekleidete, könnten das Bild eines eifrigen, vielleicht allzu idealistischen Friedensfunktionärs ergeben. Doch dieser Eindruck trügt. Ludwig Quidde war kein harmloser Rufer, sondern er verstand scharfsinnige Angriffe zu führen. Der erfolgreichste richtete sich gegen Kaiser Wilhelm II., dessen schwerterrasselnde Deutschtümelei dem Pazifisten zuwider sein mußte. Schon früh war Quidde eine geistige Verwandtschaft zwischen Wilhelm II. und dem römischen Terrorkaiser Caligula aufgefallen. Dann entdeckte Quidde durch Zufall eine Photographie des deutschen Kaisers mit der eigenhändig-kaiserlichen Unterschrift »Oderint, dum me metuant« – »Mögen sie mich hassen, wenn sie mich nur fürchten«: einem Lieblingswort des schrecklichen Caligula. Diese Parallele war für Quidde der letzte Anlaß zu seiner Schrift »Caligula«, die Ostern 1894 herauskam und bis 1926 31 Auflagen hatte. Bald war es klar, wer da eigentlich gemeint war. Angriffe auf den wagemutigen Autor in konservativen Zeitungen steigerten nur die Auflage. Die Staatsanwaltschaft wurde aufmerksam; Freunde empfahlen Quidde zu fliehen. Aber er blieb. Der aufrechte Mann schätzte seine unpopuläre Rolle als Organisator des Friedens so realistisch ein, daß er wissen konnte: Eine Flucht wäre ein Schuldbekenntnis. Und zum Märtyrer fühlte er sich nicht berufen.

In seinen letzten Lebensjahren sorgte Ludwig Quidde dafür, daß die Tradition des deutschen Pazifismus vor der Weltöffentlichkeit gewahrt blieb. 1935 schlug er einen Mann für den Friedensnobelpreis vor, der wie wenige die Idee der Gewaltlosigkeit verfochten hat: Carl von Ossietzky.

Albert Einstein schrieb im Jahre 1946 über Carl von Ossietzky*: »Es ist ein immerwährendes Verdienst der Nobelstiftung, daß sie ihre hohe Ehrung diesem schlichten Märtyrer zuteil werden ließ, und daß sie sich entschloß, das Andenken an ihn und sein Werk am Leben zu erhalten. Sein Lebenswerk bleibt für die Menschheit um so bedeutungsvoller, als die verderbliche Illusion, gegen die er gekämpft hat, durch den Ausgang des letzten Krieges nicht beseitigt worden ist. Die Anwendung von Gewalt zur Lösung menschheitlicher Probleme zu verwerfen, ist wie zu seiner Zeit auch heute aufgegeben.«

Carl von Ossietzky

In der Tat, das Vermächtnis Carl von Ossietzkys hat auch in unserer Zeit an Gültigkeit nichts eingebüßt, im Gegenteil. Aufzubegehren gegen Gewalt, Unrecht, Krieg – und sei es mit der ohnmächtigen Waffe des Schreibenden: diese Forderung hat Ossietzky in einem Maße erfüllt und erlitten, das ihn zur exemplarischen Figur, zum Vorbild macht. Dabei fehlte ihm ganz und gar die Aura des Helden. Die große Geste des Märtyrers war ihm fremd. Gerade das irritierte die Mächtigen, machte ihn in ihren Augen gefährlich und mag auch heute noch so manchem Krieger unheimlich sein; denn Ossietzkys Überzeugung, an der er bis zum letzten Atemzug festhielt, ist den Herrschenden seit jeher ein Makel: Ossietzky war Pazifist. Aber auf jene, die den Begriff als Schimpfwort im Munde zu führen pflegen, fällt die Beschämung zurück, hält man ihnen das Schicksal des Pazifisten Carl von Ossietzky vor.

XXVI. Jahrgang   16. Dezember 1930   Nummer 51

Remarque-Film von Carl v. Ossietzky

Zu dem Verbot des Remarque-Films hat die republikanische Feigheit, die in der Erfindung knifflicher Ausreden immer viel Talent beweist, eine besonders schöne Formel produziert. Mit bedauerndem Lächeln raunt man sich zu: „Was soll man machen? Der Film ist ja so schlecht!" Gegenüber solchen Verdunklungsversuchen, die wirksam sind, weil sie der republikanischen Neigung zur Bequemlichkeit entgegenkommen, ist unzweideutig festzustellen, daß diese Affäre politisch ist und von ästhetischen Kategorien nicht berührt wird. Es ist ganz belanglos, ob der Film und das Buch, von dem er stofflich abhängig ist, Meisterwerke sind. Es handelt sich nur darum, ob eine bestimmte maßvoll pazifistische Denkungsart, die über Millionen von Anhängern verfügt und in der Verfassung des Reiches selbst, in jener Mahnung, Erziehung im Geiste der Völkerversöhnung zu erstreben, eine legale Prägung gefunden hat; noch weiterhin erlaubt sein soll oder nicht. Diese Denkungsart, die weder radikal tut noch Verpflichtungen auferlegt und dem politisch organisierten Pazifismus auch gar nicht weit genug geht, ist in dieser letzten Woche zuerst von einer fanatischen Pöbelgarde unter der Führung eines klumpfüßigen Psychopathen öffentlich terrorisiert und dann in der obskuren Zensurkammer eines obskuren Ministerialrats schlicht kassiert worden. Die unverbindlichen Banalitäten, die jeder deutsche und überhaupt jeder Staatsmann der Welt bei jeder Gelegenheit gebraucht: daß der Krieg ein Übel ist und Frieden besser als Krieg, bekommen in Deutschland von nun an den Reiz der Verbotenen. Eine deutsche Zensurbehörde, auf die Gutachten von ein paar Ministerien gestützt, hat dem Geächteten des Kelloggpakts wieder alle bürgerlichen Ehrenrechte zugesprochen.

Hier, und nur hier, liegt die Bedeutung der Affäre. Der Rest ist nicht mehr als ein Zusammenbruch von Institutionen und Charakteren. Wenn der Vertreter des großen Jakobiners Joseph Wirth ausführen durfte: „ein Film nicht des Kriegs sondern der deutschen Niederlage", so wissen wir, daß morgen schon das Reichsgericht gegen die frevelhafte Behauptung einschreiten kann, wir hätten den Krieg verloren. Die Republik hat ihre eigene Ideologie preisgegeben, sie hat kampflos eine Position geräumt. Dieser Film hätte von ihr mit den Zähnen verteidigt werden müssen. Daß selbst eine so gefährdete Sache nicht hoffnungslos ist, beweist der glücklich abgeschlagene Angriff auf George Grosz, obgleich auch hier die Superklugen schon das erlösende Wort parat hatten: „Es gibt auch gerechte Kriege..."

Nicht ohne Genugtuung schreiben republikanische Blätter, es hätten doch nur an die zweitausend dumme Jungen auf der Straße Krach gemacht, die Vernünftigen wären dagegen zu Haus geblieben. Der Teufel hole diese Vernünftigen! Hätten

Die Weltbühne

Der Schaubühne XXVI. Jahr

Wochenschrift für Politik · Kunst · Wirtschaft

Begründet von Siegfried Jacobsohn

Unter Mitarbeit von Kurt Tucholsky
geleitet von Carl v. Ossietzky

Erscheint jeden Dienstag

XXVI. Jahrgang   16. Dezember 1930   Nummer 51
Versandort Potsdam

Verlag der Weltbühne
Charlottenburg · Kantstrasse 152

Als Beleg für die Größe dieses Mannes läßt sich schwerlich ein Katalog ruhmeswürdiger Taten präsentieren. Auch von einem »Lebenswerk« kann kaum die Rede sein. Ossietzky war Journalist. Und damit war er den Ereignissen des Tages verpflichtet. Freilich, es waren schlimme Tage. Kaum ein anderer Publizist hat die Schatten der Weimarer Republik so scharf umrissen wie Ossietzky, wenige brachten solche glänzenden Fähigkeiten mit.

Ossietzky begann bescheiden als Schreiber im Justizdienst, arbeitete aber nebenher schon journalistisch. Nach 1919 widmete er sich dann ganz diesem Metier und bezog als Sekretär der Deutschen Friedensgesellschaft* eindeutig politische Stellung. Er wurde Redakteur und Leitartikler verschiedener Tageszeitungen, bis er 1926 zu jener Zeitschrift stieß, die mit ihm Geschichte gemacht hat: zur »Weltbühne«. Gegründet von Siegfried Jacobsohn wurde die »Weltbühne« – vor allem durch die Beiträge Kurt Tucholskys* – zur wichtigsten Plattform der antimilitaristisch und liberal gesonnenen literarischen Intelligentsia der zwanziger Jahre. Ossietzky wird 1927 Herausgeber der »Weltbühne« und macht die Zeitschrift zum schlechten Gewissen der schwankenden Republik. Wichtigstes Angriffsziel: der wiedererwachende deutsche Militarismus. Ossietzky handelt sich Prozesse ein, zunächst wegen Beleidigung der Reichswehr, dann wegen Landesverrats. Er wird verurteilt und sitzt von Mai bis Dezember 1932 im Gefängnis. Danach sind seine Artikel so unbequem wie je. Aber die Reaktion der neuen Machthaber bleibt nicht aus. Ende Februar wird Ossietzky abermals verhaftet und ins Konzentrationslager gebracht. Der Leidensweg eines Mannes beginnt, der seine glänzende journalistische und schriftstellerische Begabung nur mit dem einen Ziel eingesetzt hatte: den Frieden zu sichern und den Krieg zu verhindern. Für diese Überzeugung wurde der schmächtige und stets kränkelnde Mann von den Schergen geschunden. Das freie Europa nahm den Fall Ossietzky als den augenfälligsten und brutalsten Beweis für den Terror des Hitlerregimes. Der Schweizer Diplomat Carl J. Burckhardt*, der Ossietzky im KZ besuchen durfte, fand einen zerstörten Menschen: krank, gebrochen, sprachlos. Europäische Parlamentarier verschaffen ihm nach einer großangelegten Aktion im November den Friedensnobelpreis für 1935. Noch in seiner schrecklichen Lage ist Ossietzky mutig genug, gegenüber Göring auf der Annahme des Preises zu bestehen. Die Ausreiseerlaubnis nach Oslo erhält er nicht.

In einem kleinen Krankenhaus in Nordend, in das die Nazis ihn – unter dem Druck der Weltöffentlichkeit – überführt hatten, starb Carl von Ossietzky am 4. Mai 1938 an Tuberkulose. Thomas Mann schrieb zu seinem Tod: »Seine Person ist in den Augen der Welt zu einem Symbol des freien und freiwilligen Geistes geworden – mit Recht, denn er hat gelitten für das, was ihm gut und menschlich erschien . . .«

Carl von Ossietzky   1935

Willy Brandt   1971

»Der Friedens-Nobelpreis 1971 ist einem aktiven Politiker zuerkannt worden; also kann nur sein weitergehendes Bemühen, nicht eine abgeschlossene Leistung gewürdigt worden sein.« Mit diesen Worten leitete Willy Brandt seinen Vortrag ein, den er am 11. Dezember 1971 nach der Verleihung des Friedens-Nobelpreises in der Universität Oslo hielt. Nach 36 Jahren wurde diese Auszeichnung erstmals wieder einem Deutschen zugesprochen, einem deutschen Politiker und Staatsmann, der zu diesem Zeitpunkt als Bundeskanzler der Bundesrepublik Deutschland den Zenith seines politischen Wirkens noch keineswegs überschritten hatte. Willy Brandt mag die Verleihung des Friedens-Nobelpreises daher nicht nur als Anerkennung, sondern vor allem als Anstoß und Ermutigung empfunden haben, insbesondere für seine »Ostpolitik«, die er als aktive Friedenspolitik verstand. Für seine Landsleute war die Auszeichnung ein Zeichen, das ihnen die weltweite Achtung und Anerkennung ins Bewußtsein rief, die Willy Brandt als Regierender Bürgermeister von Berlin, als Außenminister und schließlich als Bundeskanzler gefunden hatte.

Willy Brandt

Der Weg Willy Brandts dorthin war ein außergewöhnlicher und ein schwieriger, der nicht der Niederlagen und der zeitweiligen Resignation, nicht der Enttäuschungen und nicht der Zweifel entbehrte. Willy Brandt wurde 1913 in Lübeck geboren, als nichteheliches Kind einer 19jährigen Konsumverkäuferin. Er war und blieb ein Kind der deutschen Arbeiterbewegung. Schon als Siebzehnjähriger wurde er Mitglied der Sozialdemokratischen Partei Deutschlands. 1935, zwanzigjährig, floh er vor der Verfolgung durch die Nationalsozialisten nach Norwegen, später nach Schweden. Er betätigte sich in der Emigration publizistisch und als Mitarbeiter karitativer Organisationen. Als Pressemitarbeiter der Norwegischen Vertretung in Berlin kam Willy Brandt nach dem Krieg nach Deutschland zurück. Dem Ruf Kurt Schumachers folgend, des damaligen SPD-Vorsitzenden, wurde er 1948 der Vertreter des SPD-Parteivorstandes in Berlin. Auf viele Jahre hinaus wurde Berlin der Schauplatz seines politischen Wirkens. Zunächst war er Berliner Abgeordneter im Deutschen Bundestag in Bonn. Von 1957 bis zu seiner Wahl zum Bundeskanzler 1969 gewann er als Regierender Bürgermeister von Berlin weltweite Sympathien. Nach dem Tode Erich Ollenhauers 1964 wurde er Vorsitzender der Sozialdemokratischen Partei Deutschlands. Zweimal, bei den Bundestagswahlen von 1961 und 1965, kämpfte er als Kanzlerkandidat der SPD erfolglos um die Wählermehrheit.

Im November 1966 wurde Willy Brandt vom damaligen Bundeskanzler Kurt Georg Kiesinger zum Außenminister der Regierung der Großen Koalition von Christlichen Demokraten und Sozialdemokraten berufen. Er folgte diesem Ruf zögernd. Doch es zeigte sich, daß er für dieses Amt gut vorbereitet war, und er legte bereits als Außenminister wichtige Grundsteine für die Friedenspolitik des späteren Bundeskanzlers. Die Wahlen vom September 1969 — wieder war Willy Brandt Kanzlerkandidat der SPD — ergaben eine knappe Mehrheit für eine Regierungskoalition von Sozialdemokraten und Freien Demokraten. Dieses Mal zögerte Willy Brandt zum Erstaunen vieler seiner Freunde nicht. Er wurde Bundeskanzler. »Ich wußte nicht«, sagte Brandt, »daß ich Bundeskanzler werden würde, aber ich wußte, daß ich, wenn ich es würde, es sein könnte«. Willy Brandt wurde nach Konrad Adenauer der bedeutendste Bundeskanzler, den die Bundesrepublik Deutschland bis dahin gehabt hat.

Er führte im November 1972 seine Partei, nachdem er für seine Ost-West-Friedenspolitik alles aufs Spiel gesetzt und auch den Verlust der Kanzlerschaft riskiert hatte, zum größten Wahlsieg ihrer Geschichte; es gelang ihm, mit diesem ganz persönlichen Wahlsieg unter Beweis zu stellen, daß sich die Sozialdemokratische Partei Deutschlands tatsächlich zu einer Volkspartei im eigentlichen Sinne des Wortes entwickelt hatte und daß ihm die Mehrheit der Bürger für seine Friedenspolitik ihr Vertrauen schenkte. Es gelang Willy Brandt, seine Vorstellungen von Moral und Politik einer Vielzahl von Menschen zu vermitteln. Seine persönliche Integrität, seine Achtung vor der Selbstverantwortlichkeit des einzelnen, sein staatsmännischer Hang zum Visionären und zum großen Entwurf, aber auch sein Augenmaß und seine Kompromißbereitschaft gaben seiner Person wie seiner Politik ein besonderes Maß an Glaubwürdigkeit. Sein Rücktritt als Bundeskanzler im Mai 1974, für den eine Agenten-Affaire der Anlaß wurde, war abrupt; im Urteil mancher seiner Freunde vielleicht gar nicht unbedingt notwendig. Willy Brandt jedoch blieb sich selbst treu und entschied so, daß kein Schatten auf die Würde des Amtes fallen konnte.

Entgegen aller Erfahrung gelang Willy Brandt schon ein Jahr nach seinem Rücktritt als Bundeskanzler ein überzeugendes come-back in der in der Bundesrepublik Deutschland noch ungewohnten Rolle eines »elder statesman«. Nicht nur, daß er seine Aufgaben als Parteivorsitzender der SPD aktiv wahrnimmt; bei zahlreichen Auslandsreisen konnte er feststellen, daß seine Persönlichkeit und sein Rat in Ost und West, in Nord und — vor allem — Süd mehr denn je sehr willkommen sind. Er hat seine Kandidatur für das Europäische Parlament angekündigt, er hat im November 1976 die Wahl zum Präsidenten der Sozialistischen Internationale angenommen, und er erklärte sich 1977 bereit, die ihm angetragene Vermittlerrolle im Nord-Süd-Dialog zu übernehmen. Willy Brandt hat diese neuen Verpflichtungen übernommen, weil er als aktiver Politiker der Friedenspolitik, die er bereits in Ost-West-Richtung erfolgreich und entscheidend beeinflussen konnte, auch in der Jahrhundertfrage des Nord-Süd-Dialogs seine Unterstützung geben und sie, soweit es in seiner Macht und in seinen Möglichkeiten steht, fördern will.

In seiner Nobelpreis-Rede in Oslo sagte Willy Brandt auch: »Als demokratischer Sozialist zielen mein Denken und meine Arbeit auf Veränderung. Nicht den Menschen will ich ummodeln, weil man ihn zerstört, wenn man ihn in ein System zwängt; aber ich glaube an die Veränderbarkeit menschlicher Verhältnisse.« Genau das ist das Leitmotiv des weitergehenden Bemühens, wie er es nannte, des aktiven Politikers Willy Brandt.

Handschriftliches Konzept zu Brandts Rede vor den Vereinten Nationen in New York

Bitte, nicht auf die Säule! Ich habe noch zu tun.

Theodor Mommsen

Seine Feinde und versteckten Bewunderer sagten ihm nach, er gebärde sich so großartig unbescheiden wie sein eigener Heros: wie Cäsar, der Göttergleiche. Und »Cäsarismus« nannten denn auch die Gegner die imperiale Würde, mit der Theodor Mommsen* die deutsche Wissenschaft in der zweiten Hälfte des vorigen Jahrhunderts regierte. Er war ein Imperator – militant allerdings nur auf dem Felde des Geistes. In den langen Jahren als Dirigent der Berliner Akademie der Wissenschaften wurde Mommsen schon zu Lebzeiten zu einer mythischen Figur: eine epochemachende Gestalt durch die Monumentalität seines Werkes, eine grandiose Erscheinung auch äußerlich – Verkörperung des Gelehrten schlechthin. Mit der Jupitermähne und dieser großartigen Gesichtslandschaft sah er aus wie sein eigenes Monument. Aber – Ironie der Natur – wie Bismarck, den er herzlich verachtete und bissig beleidigte, hatte er nicht die Stimme, die zu diesem imponierenden Bild passen würde. Aber er hatte mehr: die Sprache. Als Historiker verstand er sich zugleich auch als Künstler, als Künstler freilich auch im Sinne des philologischen Handwerks, das er mit aller Akribie ausübte. »Die Phantasie ist wie aller Poesie so auch aller Historie Mutter.« Mit diesem Satz hat Mommsen schlagend das Prinzip seiner Geschichtsschreibung charakterisiert. So entstand eine »Römische Geschichte«, die nicht aus einer Revue der Haupt- und Staatsaktionen zusammengesetzt war, sondern die das Bild einer Zeit zeichnete, wie es farbiger, schillernder, alltagsnäher nie zuvor entworfen worden war. Aus seiner eigenen Gegenwart hatte Mommsen die Sprache dafür gefunden und die Gegenwart hat es ihm durch beispiellose Verehrung gelohnt.

Aus einem Brief Mommsens vom 28. 3. 1877

Rudolf Eucken

Der Nobelpreis für Literatur, den Rudolf Christoph Eucken* 1908 erhielt, hat seinen Namen und sein Werk nicht bis in unsere Zeit lebensfähig erhalten. Und mit Literatur mag man diesen Philosophen schon gar nicht mehr in Verbindung bringen: nicht mit Sprachkunst, nicht mit literarischen Qualitäten. Was Rudolf Eucken seinerzeit so preiswürdig machte, war die humanitäre Sendung, zu der er sich berufen fühlte, war die selbst auferlegte prophetische Rolle eines Menschheitsretters.

Theodor Mommsen   1902   Rudolf Eucken   1908

Jena 19/4 18

Hochgeehrter Herr Doktor!

In Erwiderung des gütigen Schreibens vom
17. April erlaube ich mir ergebenst mitzuteilen
daß ich Herrn Daeger für einen ausgesprochenen
meiner Stimmen ganz zur Verfügung stehe.
Ich bin diese Zeit immer ...

Mit ausgezeichneter Hochachtung

Dr. Rudolf Eucken.

Als Gymnasiallehrer, dann als Philosophieprofessor in Basel und Jena entwickelte Eucken eine Art Theorie der Lebensrettung, die heute nur schwer nachzuvollziehen ist. Das war seine zentrale Maxime: Die gegenwärtige Menschheit ist gefährdet, gebrochen und angekränkelt. Das gelte besonders für die Deutschen. Euckens Konsequenz aus dieser etwas vagen Erkenntnis war die Einsicht, daß die Menschheit aufgerüttelt und zu einem neuen Lebensverständnis geführt werden müsse. »Alleben« nannte er diesen heilen Zustand. In der Antike, im Mittelalter und in der Neuzeit war nach Euckens Ansicht dieses ungespaltene Gesamtleben noch erhalten, nicht mehr allerdings in seiner Gegenwart. Da sei – so glaubte Eucken – die Tiefe des Lebens im Intellektualismus und Technizismus versandet. Eine neue Einheit gelte es deshalb zu finden, um dem Leben wieder Sinn zu geben. Diese »Philosophie« baut mehr auf Intuition als auf Gedankenstärke und begriffliche Klarheit. Trotzdem – vielleicht auch gerade deshalb – gelang es Eucken, in weite Kreise zu wirken. Immerhin war er als Universitätsprofessor so aufgeschlossen, sich tatkräftig für die Bildung der Volksschullehrer einzusetzen.

Brief Euckens
vom 19. 4. 1918

Handschriftlicher
Sinnspruch Heyses

Paul Heyse

Mit allein 120 Novellen schrieb sich Paul Heyse* in die Herzen des »höheren deutschen Literaturpublikums« der Wilhelminischen Ära. Heutige Kritiker allerdings, die den Staub von Heyses Werken blasen und sich unerschrocken an die Lektüre machen, finden übereinstimmend ein Urteil: Die ehemals so schmackhafte Kost ist ranzig geworden. Im Rückblick erscheint der literarische und gesellschaftliche Ruhm, den Paul Heyse zeitlebens genoß, erstaunlich, ja unverständlich und irritierend. Was dieser Schriftsteller produzierte, war auskalkuliert nach dem Geschmack der Zeit, war 19. Jahrhundert und ist festgelegt an den Grenzen jener Epoche. Als deren Exponent freilich behält er einen gewissen Glanz: ein zunächst forscher, dann würdiger Grandseigneur der schönen Literatur, den man – komisch genug – mit Goethe verglich, ein Erfolgreicher in der Gunst von Aristokratie und Gesellschaft. Maximilian II. von Bayern bedachte Heyse 1854 mit einem Jahrgeld, das ihn zu nichts anderem als zur Anwesenheit in München verpflichtete. Später ging es dem Gefeierten so gut, daß er darauf verzichten und sich an den Gardasee zurückziehen konnte, um schöne, glatte Novellen zu produzieren und seine enorme Sprachbegabung mit Übersetzungen aus dem Italienischen zu beweisen. Schon der große Fontane*, der ihn schätzte, wußte am Ende des Jahrhunderts, daß Heyse von der Zeit überholt worden war. Heyse selbst hat es wohl nie recht wahrhaben mögen: Noch nach 1900 firmierte er im Münchener Telefonbuch unter der Berufsbezeichnung »Dichter«.

35

Paul Heyse   1910

Gerhart Hauptmann 1912

Gerhart Hauptmann* ist eine nicht wenig umstrittene Gestalt der neueren deutschen Literaturgeschichte. Er hinterließ ein äußerst vielfältiges Werk, vielfältig in seinen Formen (Autobiographie, Roman, Drama, Lyrik) und vielfältig in seinen Stilen. Eine naturalistische Epoche wird von einer neuromantischen und diese wieder von einer klassizistischen abgelöst. Großartiges wie die »Weber«, »Der Biberpelz« oder »Hannele« steht neben manchem, das man – wie seine Romane – taktvoll übersieht. Gewisse Gelegenheitsarbeiten rufen nur ein Lächeln hervor, und nicht selten ist der Dilettantismus offenkundig. Seine dramatische Einbildungskraft, seine visionäre, ins Seherische sich steigernde Phantasie, seine spontane Art zu schaffen, ließ die Ideen oft zu schnell kommen, die Motive zu geschäftig aufgreifen, dem Einfall zu leicht nachgeben. Für Hauptmann war Leben und Dichten eins. Wirklichkeit hatte für ihn unmittelbare Symbolkraft. So durchtränkt eigener Lebensstoff sein Werk und seine Figuren. Aber in all dem Persönlichen und dem Augenblick Verhafteten wird doch Überzeitliches, ewig Gültiges sichtbar.

Hauptmann gebührt neben Brecht das Verdienst, das deutsche Drama aus seiner Erstarrung im 19. Jahrhundert befreit zu haben. Der Nobelpreis wurde ihm zu einem Zeitpunkt verliehen, als er, vor allem durch seine sozialen Dramen in schlesischer und Berliner Mundart, Weltruhm erlangt hatte. Hauptmann dichtet aus der Erschütterung über menschliches Leid heraus. Das Elend der Häusler, die gebeugt einherschreitenden Bergarbeiter, die von Schwindsucht bedrohten Glasbläser und die vierzehn Stunden vor ihren Webstühlen sitzenden Weber sind die anklagende Welt seiner Dramen. Hier ist nicht mehr ein einzelner Held, sondern die Masse. Die dramatische Handlung im alten Sinn wird von einer milieugerechten, protokollarischen Zustandsschilderung abgelöst. Die solchermaßen provozierte wilhelminische Gesellschaft, die in der Kunst nur einen schönen Dekor sah, antwortete häufig mit Zensur und Verboten.

Thomas Mann hat Hauptmanns imperatorischer Erscheinung in seinem »Zauberberg« ein humoristisches Denkmal gesetzt. Das Skurrile und Weitausgreifende seiner Bewegungen, das stammelnde Wort in den oft ins Murmelnd-Unverständliche ausschweifenden Gesprächen, übertrug er auf die Gestalt Mynheer Peeperkorns.

Gerhart Hauptmann

Aus einem Brief Hauptmanns an Walter Reichart vom August 1937

Titelblatt der Erstausgabe von 1900

Thomas Mann

THOMAS MANN
EX·LIBRIS
★

*Oben: Ex Libris von Emil Preetorius
Rechts: Ausschnitt aus dem Manuskript
der Roman-Tetralogie
»Joseph und seine Brüder«*

»Weiß Gott, ich war nicht groß. Aber eine gewisse kindliche Intimität in meinem Verhältnis zur Größe brachte ein Lächeln der Anspielung auf sie in meinem Werk«, schreibt Thomas Mann* ein Jahr vor seinem Tode über seinen Anspruch auf Größe. Das Briefzitat enthüllt einen bezeichnenden Wesenszug dieses überragenden Erzählers: die Bescheidenheit bei aller Selbstbehauptung, auch sich selbst gegenüber. Im Sinne dieses selbstkritischen Künstlertums verstand er auch den Nobelpreis weniger als eine Ehrung seiner Person als der deutschen Prosa. Immer sind Manns Bekenntnisse, Beobachtungen, Stellungnahmen von einem ironischen Augenzwinkern begleitet. Dieser kluge und schalkhafte Zauberer der deutschen Bildungssprache, der seine Romane für »Wissende, Geistige und Amüsable« schrieb, hielt bei allem Engagement, das ihn aufs engste mit dem Zeitgeschehen verband, doch auch ironische Distanz zur Sicherung seiner künstlerischen Existenz. Nicht ohne Grund hat ein englischer Literaturkritiker ein Buch über ihn »Der ironische Deutsche« betitelt.

Die Welt hat Thomas Manns Ansicht über seine Bedeutung bisher nicht geteilt. Dafür zeugen die vielen Preise und Ehrungen, nicht zuletzt der ihm 1929 verliehene Nobelpreis. Er erhielt ihn vor allem für sein Frühwerk, den wohl bekanntesten seiner Romane »Die Buddenbrooks«. An ihm zeichnen sich schon die Grundtendenzen seines Schaffens ab. Die Entstehungsgeschichte ist bezeichnend; aus einem geplanten Roman mittlerer Länge, einer Kaufmannsgeschichte, wurde eine »Seelengeschichte des deutschen Bürgertums« von epischem Ausmaß. Anknüpfend an die Formtradition des deutschen Bildungsromans, diese aber schon eigentlich umkehrend, wurde mit den gerade errungenen Mitteln des naturalistischen Romans der Verfall, d. h. die Verfeinerung und Auflösung einer hanseatischen Familie in Musik und Tod beschrieben. Eine fast gelehrt anmutende Stoffsammlung war vorausgegangen, Erkundigungen bei Verwandten über die Familiengeschichte wurden eingeholt, Zitate gesammelt, um sie in die Gespräche charakterisierend einzubauen, und aus vorliegenden Familienpapieren exzerpiert. Die überwältigenden Details der Mannschen Familiengeschichte werden von den das Gesamtwerk beherrschenden Grundthemen Geist und Leben, Bürgertum und Künstlertum strukturiert. Ein Kunstwerk, das zunächst ganz aufs Nationale, ja Regional-Heimatliche hin konzipiert war, traf dennoch den Kern allgemein-menschlichen Erlebens.

Thomas Mann   1929

Thomas Mann und seine Frau Katja bei einem Besuch in Lübeck 1955
zur Entgegennahme des Ehrenbürgerbriefes der Stadt

Hermann Hesse   1946

Hermann Hesse

Anders als bei Th. Mann und G. Hauptmann lag Hermann Hesses* Lebenswerk übersichtlich und abgeschlossen vor, gekrönt von seinem 1943 erschienenen Roman »Das Glasperlenspiel«, als er – der naturalisierte Schweizer als Vertreter des »bessern« Deutschlands – 1946 den Nobelpreis erhielt. Mit ihm würdigte man das dichterische Œuvre eines Mannes, der immer ein wenig abseits vom bewegten literarischen Leben gestanden hat, dessen Werk aber wie kaum ein anderes bei den jungen Menschen aller Nationen starken Widerhall fand. Sein unbedingter Wille zur Wahrheit und vor allem die bekenntnishafte Auseinandersetzung mit dem Ich, mußte jeden jungen Menschen existentiell berühren. Das Autobiographische gibt er selbst als Quelle seines Schaffens an: »Eine neue Dichtung beginnt für mich in dem Augenblick zu entstehen, wo eine Figur sichtbar wird, welche für eine Weile Symbol und Figur meines Erlebens, meiner Gedanken, meiner Probleme werden kann. Die Erscheinung dieser mythischen Person ist der schöpferische Augenblick, aus dem alles entsteht.« Hesses Leben war auch dazu angetan, genügend Stoff für ein dichterisches Werk zu liefern. Seine Jugend war schwierig. Ein hochbegabter Knabe wird durch eine pietistische Erziehung schwäbischer Prägung und durch ein unmenschliches Schulsystem fast gebrochen. Seine Flucht aus dem theologischen Seminar im Kloster Maulbronn 1892 ist das sichtbare Zeichen seiner Rebellion. In »Unterm Rad« hat er diese Schulerlebnisse dichterisch verwandelt niedergelegt. 1904 erlangt er mit seinem zweiten Werk »Peter Camenzind« ersten Ruhm. Die Helden von Hesses »Seelenbiographien« bleiben sensible Außenseiter. Sie sind Künstler oder Tramps, immer Einsame, die gegen die etablierte Gesellschaft und ihre Institutionen ankämpfen oder mit sich selbst in Konflikt liegen. Bei aller autobiographischen »Enge« erfaßt sein Werk eine Weite, die die fernöstliche Philosophie (»Siddharta«; »Glasperlenspiel«) genauso einzuflechten weiß wie die Psychologie S. Freuds* und C. G. Jungs* (»Demian«).

Man hat Hesse als den allem Zeitgetriebe Feindlichen hingestellt. Er ist wohl ein Einzelgänger, ein Außenseiter, aber doch kein Idylliker, der sich in die Gartenwelt palmenumrahmter Sonnenuntergänge des Tessin zurückgezogen hat. Dafür zeugt sein militanter Pazifismus und seine Tätigkeit in der Gefangenenfürsorge während des Ersten Weltkrieges, wie auch der »Steppenwolf«, der die turbulente Nachkriegszeit aufs eindringlichste zu gestalten weiß.

Motto des »Glasperlenspiels« in der ersten Fassung

Gedicht Hesses aus dem Jahre 1918, »Im vierten Kriegsjahr«

Die Urteile über das dichterische Werk von Nelly Sachs* sind nicht so einstimmig, wie es die Festreden anläßlich der Verleihung des Nobelpreises 1966 vermuten lassen. Sie schwanken zwischen der uneingeschränkten Reverenz H. M. Enzensbergers*: »die größte Dichterin, die heute in deutscher Sprache schreibt« und dem niederschmetternden Verdikt M. Landmanns*, der schreibt: »Auch heute noch läßt die modische Unsitte . . . Gedichte entstehen, die, wie die von Nelly Sachs . . . beängstigend nichtssagend sind . . .« Der künstlerischen Qualität ihrer Gedichte und Mysterienspiele gerecht zu werden, daran hindert uns der Inhalt, der uns unmittelbar als Deutsche betrifft. Nelly Sachs ist nicht nur die letzte Dichterin des Judentums in deutscher Sprache, sie ist vor allem die Dichterin des jüdischen Schicksals. »Ich werde nicht ablassen, dem Feuer- und Sternenweg unsres Volkes Schritt für Schritt zu folgen und mit meinem armen Wesen Zeugnis abzulegen«, bekennt sie in einem Brief. Sie wurde eine Schwester Hiobs genannt, von ihm getrennt durch Jahrtausende, aber mit ihm durch Leiderfahrung und dem Festhalten an Jahve – Gott verbunden. Th. Adornos* bekannter Satz, daß nach Auschwitz ein Gedicht zu schreiben nicht mehr möglich sei, hat sie mit ihren Gedichtzyklen widerlegt. Sie hat das Unfaßbare und Unerlebbare sprachlich gestaltet. Der Akt des Schreibens war ihr Befreiung.

Als Tochter eines reichen Fabrikanten wurde sie 1891 in Berlin geboren. Sie wuchs in einem kultivierten, bürgerlichen Milieu auf. In der Bibliothek ihres Vaters lernte sie die Werke der Romantiker kennen. Ihre ersten Poesien lebten ganz aus der romantischen Substanz. Mit 15 begegnete sie den Werken der schwedischen Nobelpreisträgerin Selma Lagerlöf*. Bald korrespondierte sie mit ihr. Die sich entwickelnde Freundschaft rettete ihr das Leben. Durch Selma Lagerlöfs Vermittlung konnte sie sich 1940 mit ihrer Mutter nach Stockholm retten. Ihre Familie kam im KZ um. – Das Spätwerk Nelly Sachs' ist ihren frühen Dichtungen diametral entgegengesetzt. Der Tod war gleichsam ihr Lehrmeister. Zum Thema ihrer Gedichte wird die große Verkehrung. Der lebendige Laut der Sprache ist zerstört. Liebe, Freiheit, Wahrheit, Recht, nichts mehr ist unverdächtig. Alles ist von Haß und Lüge durchtränkt. Nelly Sachs versucht in ihrem Werk jenseits der Sprache der Verführung dem Wort zu einer Wiedergeburt in Wahrheit und Unmittelbarkeit zu verhelfen.

Nelly Sachs

Alle Worte Flüchtlinge
in ihre unsterblichen Verstecke
wo die Zeugungskraft
ihre Sterngeburten
buchstabieren muß und die
Zeit ihr Wissen verliert
in die Rätsel des Lichts.

Nelly Sachs

Nelly Sachs   1966

Heinrich Böll 1972

Heinrich Böll

»Ich kann es mir nicht leisten, als Angehöriger eines Volkes, das nicht verwöhnt worden ist, diesen Preis abzulehnen«, sagte Heinrich Böll 1972, als ihm der Nobelpreis für Literatur zugesprochen wurde, in einem Interview; als Deutscher, so sagte er dann noch einmal bei der Verleihung des Preises in Stockholm, freue er sich über die große Ehre, »die wohl nicht nur mir gilt, auch der Sprache, in der ich mich ausdrücke, und dem Land, dessen Bürger ich bin.«

Heinrich Böll gilt seit den über dreißig Jahren, in denen er sein umfangreiches Werk geschrieben hat, als einer der größten Widerstände, die in der westdeutschen Nachkriegsgesellschaft zu besichtigen sind. Sein Protestpotential liegt dabei in seiner Kindheit. Seine Kindheit, so kann man sagen, ist seine Heimat, Heimat und Kindheit sind ja auch nicht von ungefähr zwei verwandte Begriffe. In ihr hat er sich wohlgefühlt, er hat sich positiv mit ihr identifiziert. »Ja eine relativ heile Kindheit«, hat er selbst gesagt. Sein Schreiben ist der Versuch, diese Kindheit zu verteidigen, und der Ort seiner Erinnerungen ist das Köln vor 1933. Dieses alte Köln besteht weiter in seinen Büchern. Das ist ein Leben in Altbauwohnungen, in Küchen, in Hinterhöfen, auf den Straßen. Es ist ein ganz bestimmter physischer Komfort, den die Lektüre seiner Bücher vermittelt. Heimat. Häuser der Kindheit. Es ist da gleich eine Atmosphäre des Vertrauten und eine Dimension des Vertrauens. Nähe. Intimität. Die Werte, die der heutige Böll vertritt, sind die Werte seiner Kindheit, und seine positive Identifizierung mit der Kindheit gibt ihm den Blickpunkt für seine Kritik an der gegenwärtigen Gesellschaft, also der modernen, industrialisierten, bürokratischen, sachlichen und versachlichten Welt, in der etwa die Städte durch Verwaltung und Technik zerstört werden. Es mag Leute geben, die diese Werte altmodisch nennen — Werte wie konkrete nachbarschaftliche Menschlichkeit statt Anonymität, Liebe statt Sexualität —, aber andererseits muß man sich auch fragen, ob Bölls Standpunkt nicht ein ganz moderner und aktueller ist, ob vieles von dem, was Böll vertritt, nicht bewahrt werden muß in einer Zeit, in der alles zu Bruch zu gehen scheint.

Daß Böll sich von seiner Kindheit nicht gelöst hat, daß der übliche Bruch mit den Eltern nicht stattgefunden hat, läßt sich aus den historischen Ereignissen erklären. Die Weltwirtschaftskrise brachte die Familie in Schwierigkeiten, Böll erlebte, wie hilflos die Eltern waren, und das hat Solidarität entstehen lassen. Später marschierten die Nationalsozialisten auf den Straßen, das war eine der prägendsten Erfahrungen in seinem Leben. »Die Zerstörung der Straßen als Heimat, und Straßen sind Heimat ... das ist eine schneidende Zerstörung von Heimat gewesen ...« Später dann die Entwicklung der Bundesrepublik Deutschland: die kapitalistische Gesellschaft entfernte sich immer weiter von seinen Werten, sie stand gegen die Welt, die er vertrat, und da begann er sich zu wehren und wurde mit seinem Werk einer der größten Kritiker dieser Gesellschaft. Ausgangspunkt für ihn blieb aber immer seine Kindheit, in der er sich heimisch gefühlt hat. Nur so ist zu erklären, daß Böll Anfang der Siebziger Jahre, 25 Jahre nach Ende des Zweiten Weltkrieges und dem Zusammenbruch des Dritten Reiches, noch einmal weit in die deutsche Geschichte zurückging, bis in die Zwanziger Jahre, um in dem Roman »Gruppenbild mit Dame« noch einmal den historischen Untergrund der Bundesrepublik

*Schutzumschlag
zu Bölls Roman
»Gruppenbild mit Dame«*

47

Deutschland vom frühen Beginn an darzustellen. Karl Ragnar Gierow sagte in einer Rede bei der Verleihung des Literaturnobelpreises in Stockholm, auf die Erneuerung im Bereich der deutschen Literatur durch Bölls Werk eingehend: »Es handelt sich hier um eine Erneuerung aus Vernichtung, um wiedererwecktes Leben, um eine geistige Saat, von Frostnächten heimgesucht, zur Ausrottung verurteilt, die aufs neue keimt, aufgeht und Früchte trägt, uns allen zu Nutz und Frommen. Alfred Nobel meinte, daß sein Preis dazu da sein sollte, derartiges zu belohnen.«

Heinrich Böll

Die Geschichte Emil von Behrings* ist eng verknüpft mit der Geschichte einer Krankheit, die heute in Deutschland so selten geworden ist, daß kaum ein Kinderkliniker sie seinen Studenten in der Vorlesung demonstrieren kann, die aber vor etwas mehr als einem halben Jahrhundert Jahr um Jahr Tausende von Kindern einem qualvollen Tod preisgab, mit der Geschichte der Diphtherie.

Emil von Behring

Emil von Behring ist am 15. März 1854 in Hansdorf (Ostpreußen) als Sohn eines Lehrers geboren und vom Vater zum Studium der Theologie bestimmt worden. Durch die Vermittlung eines befreundeten Militärarztes gelang es, den Wunsch des Abiturienten zu erfüllen: er konnte in die militärärztliche Akademie, die Pépinière, in Berlin eintreten. Die Kolleghefte aus dieser Zeit bezeugen, wie planvoll er schon damals arbeitete. Der in der Vorlesung angebotene Stoff erscheint in Behrings Mitschrift nicht nur klar gegliedert, sondern auch durch eigene Gedanken vertieft. Aber er war kein Streber, der nur die Arbeit und das Studium kannte; die Vergnügungen seiner Kameraden machte er begeistert mit, und er fiel auf durch die Schärfe seiner Rede und die Bissigkeit seiner spottenden Bemerkungen.

Die Erziehung in der Pépinière hat Behrings Lebenslauf bis ins Alter geprägt. Stets stand er am frühen Morgen um vier Uhr auf. Seine erste Mahlzeit war ein saftiges Steak, und wenn andere ins Labor kamen, hatte er bereits die Hälfte der geplanten Tagesarbeit hinter sich gebracht.

Diese Arbeit führte er zunächst als Militärarzt in verschiedenen Kommandos im Osten Deutschlands, dann am Pharmakologischen Institut in Bonn und schließlich als Assistent Robert Kochs in Berlin aus. Sein Hauptforschungsgebiet war dort in den Jahren 1889 bis 1894 die Bekämpfung der Diphtherie. Schon in Bonn hatte er sich damit beschäftigt, auf welche Weise der Körper gegen eindringende Bakterien zu sterilisieren sei. Man müsse ihn, so hatte er gemeint, wie einen Schinken von innen räuchern. Seine Versuche, dies mit chemischen Mitteln, mit Jodoform, mit Acetylen, mit Quecksilberverbindungen, zu erreichen, waren fehlgeschlagen. Er hatte aber bei seinen Versuchen festgestellt, daß Ratten nie von Milzbrand befallen werden, und bei der Untersuchung, warum das so sei, erfahren, daß das Serum der Ratten in der

Aus einem Manuskript Emil von Behrings

Lage ist, Milzbrandbazillen abzutöten. Darauf gründeten sich seine weiteren Versuche: er infizierte Meerschweinchen mit dem Diphtheriebazillus, den ein anderer Schüler Robert Kochs, Friedrich Loeffler*, 1883 entdeckt hatte, und behandelte sie mit Jodtrichlorid. So gelang es ihm, wenige der infizierten Tiere am Leben zu erhalten. Diesen Tieren spritzte er erneut eine große Menge der Diphtherieerreger ein, und es geschah nichts, keines der Tiere zeigte Krankheitserscheinungen, sie waren immun geworden. Aber wodurch, so fragte sich Behring. Durch die Chemikalien oder durch eine körpereigene Leistung? Und nun machte er die Reihe der entscheidenden Versuche, die zur Serumtherapie führen sollten. Er infizierte Tiere mit dem Gift der Diphtheriebakterien, denn gegen dieses Gift und nicht gegen die Bakterien selbst richtete sich, so hatte er herausgefunden, das Antitoxin*, und behandelte sie dann mit dem Serum eines Tieres, das die Krankheit überstanden hatte. Der Erfolg gab seiner Theorie recht, das Serum eines geheilten Tieres konnte andere Tiere heilen. Nach sorgfältiger Prüfung in den Kliniken in Berlin und Leipzig wurde das Serum dann den Ärzten zur Verfügung gestellt. Nun reichten freilich die Mengen, die von Meerschweinchen gewonnen werden konnten, nicht mehr aus. Behring suchte größere Tiere als Antitoxinspender und fand im Pferd das geeignete Großtier.

Behring wurde 1894 Ordinarius in Halle, 1895 in Marburg. Dort gelang es ihm, einige Jahre vor seinem Tod am 31. März 1917, die aktive Immunisierung des Menschen gegen die Diphtherie zu erarbeiten und den Impfstoff T.A. herzustellen.

Auch in dieser Zeit des Ersten Weltkriegs, in der die Wellen der nationalen Begeisterung hochschlugen, dachte Behring nie chauvinistisch. Sein letztes, 1915 erschienenes Buch widmete er dem in Paris lebenden Elias Metschnikoff* mit der Aufforderung: Travaillons!

Das Nobelpreiskomitee würdigte seine Leistung mit den Worten: »Für seine Arbeiten über Serumtherapie und besonders für deren Anwendung gegen Diphtherie, wodurch er einen neuen Weg auf dem Gebiet der medizinischen Wissenschaft gebahnt und dem Arzt eine bezwingende Waffe im Kampf gegen Krankheit und Tod gegeben hat.« Sagt aber ein Brief wie dieser, den eine Russin aus Moskau geschrieben hat, nicht ebensoviel über seine Leistung? »Ich kenne nicht ob viele Mütter Ihnen ihren Dank ausgedrückt haben. Aber mein Kind ist gerettet, weil Sie so weis gedacht und für die Wissenschaft gekämpft haben ... Ihr Name gesegnet von glücklichen Müttern, wie ich.«

Emil von Behring   1901

Robert Koch 1905

Robert Koch

1876	Die Ätiologie des Milzbrandes. Milzbrandsporen. Verfahren zur Untersuchung, zum Konservieren und zum Photographieren der Bakterien.
1878	Ätiologie der Wundinfektionskrankheiten.
1880–1881	Schöpfung und Ausbau der bakteriologischen Methodik. Reinkulturen mittels fester und erstarrungsfähiger Nährböden. Wissenschaft und Praxis der Desinfektion.
1882	Ätiologie der Tuberkulose. Entdeckung des Tuberkulosebazillus.
1883–1884	Cholera-Expedition nach Ägypten und Indien. Entdeckung des Choleravibrio.
1885–1890	Verwertung der Bakteriologie für die öffentliche Gesundheitspflege – Wasser – Boden – Luft.
1890	Darstellung des Tuberkulins.
1892–1893	Organisation der Cholerabekämpfung.
1896	Bekämpfung der Rinderpest in Südafrika. Immunisierung der Rinder. Untersuchungen über Schwarzwasserfieber. Malaria. Texasfieber und Tsetsekrankheit.
1897	Pest-Expedition nach Indien. Leprabekämpfung im Kreise Memel. Neue Tuberkuline.
1898–1899	Malaria-Expedition nach Italien. Niederländisch-Indien und Neuguinea. Kinder-Malaria. Chinin-Prophylaxe.
1901	Trennung der Menschen- und Rindertuberkulose.
1902	Organisation der Typhusbekämpfung im Südwesten des Reiches.
1903–1905	Untersuchungen über Küstenfieber und Pferdesterbe in Südafrika. Ätiologie des afrikanischen Rückfallfiebers. Zecken als Zwischenwirte. Studien über die Entwicklungsgeschichte der Piroplasmen.
1906–1907	Schlafkrankheit-Expedition nach Ostafrika.
1908–1910	Fortsetzung der Tuberkuloseforschung.
1880–1910	Berater des Reiches und Preußens in der Seuchenbekämpfung.

So kündet eine Tafel im Robert-Koch-Institut in Berlin, Kochs Epitaph gegenüber angebracht, von den Großtaten dieses Mannes, der in wenigen Jahren einen neuen Zweig der medizinischen Wissenschaft schuf: die Bakteriologie.

Robert Koch*, geboren am 11. Dezember 1843 in Clausthal/Harz, erwarb sich schon als Student die Anerkennung seiner Lehrer mit Arbeiten, die freilich noch nicht die Hinwendung zu einer ganz neuen Richtung erkennen ließen. Eine honorierte Preisaufgabe behandelte ein anatomisches, die Dissertation ein physiologisches Thema. Erst als er sich, nach Assistentenjahren in Hamburg und Langenhagen bei Hannover, als Kreisphysikus und praktischer Arzt in Wollstein niederließ, begann er mit seinen bakteriologischen Arbeiten. Ohne ausreichende Instrumente, ja ohne eigenes Laboratorium – er hatte sich einen Teil des Sprechzimmers durch einen Vorhang abtrennen lassen –, ohne Kontakt zu Hochschulen und Instituten, ohne einen einzigen Mitarbeiter machte Koch dort seine entscheidende Entdeckung über die Ätiologie* des Milzbrandes.

Rezept Robert Kochs

»Koch bringt den Spaltpilzen
die reine Kultur bei«
Lustige Blätter um 1900

Als er sich nach einer Vielzahl von Versuchen seiner Sache ganz sicher war, trat er vor die Öffentlichkeit, vor die Professoren der Universität Breslau. Wie klar und einleuchtend Kochs dortige Demonstration war, beweist am besten der Ausspruch des Pathologen Cohnheim*, der von der Demonstration weg in sein Institut eilte und seinen Assistenten zurief: »Nun lassen Sie alles stehen und liegen und gehen Sie zu Koch. Dieser Mann hat eine großartige Entdeckung gemacht, die in ihrer Einfachheit und Exaktheit der Methode um so mehr Bewunderung verdient, als Koch von aller wissenschaftlichen Verbindung abgeschlossen ist und dies alles aus sich heraus gemacht hat und zwar absolut fertig ... Ich ... glaube, daß Koch uns alle noch einmal mit weiteren Entdeckungen überraschen und beschämen wird.«

Diese prophetischen Worte sollten bald in Erfüllung gehen. Im Jahre 1882 entdeckte Koch den Tuberkelbazillus und klärte damit die Ätiologie der verheerendsten Infektionskrankheit auf, diesmal aber nicht im kleinen Stübchen in Wollstein, sondern im Laboratorium des Kaiserlichen Gesundheitsamtes in Berlin. Die Erforschung der Tuberkulose blieb sein großes Anliegen bis zu seinem Tod am 27. Mai 1910 in Baden-Baden. Zwar erfüllte das später entwickelte Tuberkulin als Heilmittel nicht die Erwartungen, die Koch in es gesetzt hatte, als Mittel der Diagnostik aber wurde es unentbehrlich.

Koch war ein unkonventioneller Mann. Wem er ein Freund war, dem blieb er es auch als Exzellenz, gleichgültig, welche Stellung jener innehatte. Wenn er aber merkte, daß man sich ihm irgendwelcher Vorteile wegen näherte, konnte er scharf und schroff abweisend werden. Koch, der kein guter Redner war und lieber durch vorweisbare Tatsachen als durch rhetorischen Glanz überzeugte, konnte in freundschaftlicher Runde zum humorvollen Erzähler werden, dem das Wort leicht von der Zunge ging. Solche Stunden der Erholung waren allerdings im Leben des Vielbeschäftigten selten.

Paul Ehrlich

Durch zwei Entdeckungen hat Paul Ehrlich* zu Beginn unseres Jahrhunderts die medizinische Wissenschaft in Aufregung versetzt. Seine Arbeiten in Berlin führten zur Erkenntnis der Immunität, seine Forschungen in Frankfurt zur Entwicklung des Salvarsans, des ersten wirksamen Chemotherapeuticums*. Noch eine dritte wichtige Entdeckung hat er gemacht: ihm, der sich schon in seinen Studenten- und Assistentenjahren mit Färbemethoden beschäftigt hatte, gelang es als erstem, eine noch heute gebräuchliche Färbung der Tuberkelbazillen zu entwickeln, einen Tag schon, nachdem Koch seinen Vortrag über diesen gerade gefundenen Bazillus gehalten hatte. Koch hat anerkannt, daß seine Entdeckung durch Ehrlichs Färbemethode erst für die Praxis von Wert wurde, »während sich sonst wohl nur wenige Forscher mit den Tuberkelbazillen befaßt haben würden«.

Ehrlich, geboren am 14. März 1854 in Strehlen/Oberschlesien, studierte in Straßburg, Breslau, Freiburg im Breisgau und Leipzig und war dann Assistent und Oberarzt an der Charité* in Berlin.

Schon aus dieser Zeit datiert eine Eigenart, die er sein ganzes Leben lang beibehielt. Er legte sich eine eigene Rechtschreibung zu, in der er fast ganz auf Großschreibung verzichtete, und eine eigene Grammatik, deren Regeln nur er selbst verstand. Er schrieb gern und viel, worauf war ihm dabei völlig gleichgültig. Türen, Schränke, Fußböden, ja selbst Manschetten oder die Hemdbrust des Besuchers, wenn dieser sich nicht schnell genug in Sicherheit brachte, mußten herhalten, wenn Ehrlich seine Rede durch die Kraft der Zeichnung unterstützte.

Ein besonders beliebtes Zeichenobjekt war dabei das Bild der Seitenkettentheorie*, mit deren Hilfe er den Mechanismus der Immunisierung erklärte. Im Institut Robert Kochs und von 1896 an im von ihm selbst geleiteten Institut für Serumforschung und Serumprüfung war er dem Problem der Wirkung von Giften im menschlichen Körper nachgegangen. Zwar kannte man das Phänomen der Immunisierung schon lange, aber dem Experiment, dem exakten Nachweis hatte es sich bisher entzogen. Ehrlich ging hier einen ganz neuen Weg. Statt des schwer meßbaren Bakteriengiftes verwendete er bei seinen Versuchen pflanzliche Gifte, deren Menge genau festzustellen war. Er zeigte, daß durch Fütterung von kleinen, sich ständig steigernden

Teil von Ehrlichs sechzehnseitigem Exposé für Ludwig Darmstaedter über seine chemotherapeutischen Arbeiten

57

Mengen des Giftes die Versuchstiere gegen die für ein unbehandeltes Tier tödliche Dosis immun wurden, und daß sie bald eine hundert- bis tausendfache Menge von dem vertrugen, was ein unbehandeltes Tier vernichtet hätte. Auf Grund seiner Untersuchungen kam er zu den Grundbegriffen der aktiven, das heißt durch Behandlung mit Giftstoffen erzeugten, und der passiven Immunität, die durch Einspritzung des Antitoxins* bewirkt wird, das aus dem Blutserum aktiv Immunisierter gewonnen wird, und bereitete so den Boden für die von Behring entwickelte Diphtheriebehandlung vor. Erst heute wissen wir, daß Ehrlichs Theorie, die Seitenkette des Protoplasmas sei der wirksame Ort der Immunisierung, nicht richtig war, er selbst konnte noch schreiben: »Naunyns* Vergleich von der zerbrechlichkeit der seitenkettentheorie eines heiklen kunstwerks, sie hat sich aber von federndem stahl erwiesen.«

1898 zog das Institut für Serumprüfung nach Frankfurt um, 1906 wurde Ehrlich auch Hausherr des Georg-Speyer-Hauses. In seinem Arbeitszimmer türmten sich Bücher und Zeitschriften auf allen verfügbaren Möbeln und auf dem Fußboden. Für das Studium der vielen Artikel hatte er sich eine eigene Technik angeeignet, das Diagonallesen; nur so konnte er die Flut der wissenschaftlichen Veröffentlichungen verfolgen. Sonst las er wenig, nur Kriminalromane konnten ihn fesseln, und er bezeichnete sich scherzhaft als einen Monomanen der Wissenschaft, da er auch völlig amusisch sei.

Am Abend in seiner Wohnung, oft bei Operettenmusik, die ihn, nach seinen eigenen Worten, zum Denken anregte, entwarf er »Blöcke«, auf große Karteikarten geschriebene Arbeitsanweisungen für seine Mitarbeiter und Assistenten.

Nach diesen Anweisungen wurde mit Versuchsnummer 606 das Salvarsan im Jahre 1907 entdeckt und 1910 der ärztlichen Welt vorgestellt. Ein Sturm der Zustimmung und der entrüsteten Ablehnung tobte nicht nur durch die medizinische Presse. Selbst zu einem Gerichtsprozeß kam es in Frankfurt. Aber alle Ablehnung konnte auf die Dauer die Erfolge des Salvarsans bei der Behandlung der Syphilis nicht verhindern. Paul Ehrlichs Gesundheit aber hat der Kampf zermürbt, vielleicht mehr noch als die schweren schwarzen Zigarren, die er vom frühen Morgen bis zum späten Abend unausgesetzt rauchte. Als der Erste Weltkrieg ausgebrochen war, schrieb er an seinen Schulfreund Albert Neißer: »So schrecklich dieser Völkerkrieg auf mir lastet, mir hat er das Gute des Salvarsan-Friedens gebracht.« Er sollte ihn nicht lange genießen können. Am 20. August 1915 entschlief er in Bad Homburg, und Emil von Behring sprach an seinem Grab die Abschiedsworte: »Mit dir, Paul Ehrlich, ist einer aus der Heroenzeit der experimentell-therapeutischen Forschung dahingegangen und außerdem ein König im Reiche der von dir selbst gegründeten Wissenschaft, und ein Lehrer für ungezählte Forscher in aller Welt.«

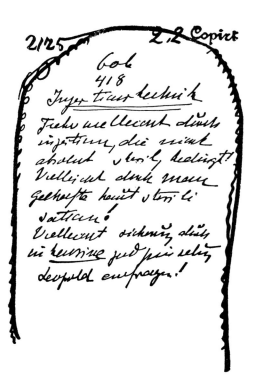

Ein »Block«
Überlegungen Ehrlichs
zur Injektionstechnik

Paul Ehrlich   1908

Albrecht Kossel   1910   Otto Meyerhof   1922

Albrecht Kossel

Als das Nobelpreiskomitee im Jahre 1910 dem Heidelberger Ordinarius für Physiologie Albrecht Kossel* den Preis zusprach mit der Begründung: »als Anerkennung für seine Beiträge zur Chemie der Zelle, die er durch seine Arbeiten über Proteine einschließlich der Kernsubstanzen geleistet hat«, konnte sich keines seiner Mitglieder bewußt sein, daß es hier Arbeiten honorierte, die den Ausgangspunkt einer Entwicklung bildeten, deren Ablauf heute noch nicht abzusehen ist. Die von Kossel entdeckten basischen Bestandteile der Nukleinsäuren haben sich heute als entscheidende Faktoren bei der Übertragung der genetischen Information aller lebenden Wesen erwiesen.

Auch Kossel hat eine solche Entwicklung nicht vorausgesehen. Er war nicht Genetiker, sondern Biochemiker, der noch um die Anerkennung des von ihm vertretenen neuen Fachs kämpfen mußte, wie die Worte seiner Rektoratsrede bestätigen: »Die Biochemie hat sich einen selbständigen Ideenkreis geschaffen, der die Grundlagen der Biologie berührt, und hat eine Entwicklung genommen, der auch die Hochschulen gerecht werden müssen, indem sie ihr eigene Arbeitsstätten einräumen und ihr einen maßgeblichen Einfluß auf den Unterricht gewähren.«

Diesen Unterricht nahm Kossel sehr ernst. Obwohl er kein guter Redner war und sich auf Tagungen und Kongressen nur selten zu einer Diskussionsbemerkung bewegen ließ, hielt er bis zu seinem Tod am 5. Juli 1927 die Hauptvorlesung über sein ganzes Fachgebiet stets selbst.

Kossel war Mecklenburger, er ist am 16. September 1853 in Rostock geboren, und die niederdeutsche Landschaft hat seinen Charakter geprägt. Sinnend und ernst, ja manchmal schwermütig, jedoch stets getragen von einem leisen Humor, so ist er seinen Schülern im Gedächtnis geblieben, die sich nicht erinnern können, ihn im Laboratorium je unwillig oder unwirsch gesehen zu haben. Wie es seinem Charakter

Aus Kossels Nobelvortrag: Die vier Grundbausteine der Nukleinsäuren Guanin und Adenin, deren chemische Natur Emil Fischer abschließend aufklärte, Thymin und Cytosin, deren Aufbau Kossel erforschte

entsprach, war er von fast fanatischer Wahrheitsliebe. Als während des Ersten Weltkriegs die Regierung an ihn herantrat mit der Bitte, er solle der Bevölkerung klarmachen, daß die Lebensmittelrationen ausreichend seien, wies er das mit Entrüstung und Empörung weit von sich.

Wie allen experimentell arbeitenden Forschern seiner Zeit war auch ihm die Freude eigen, das Neue im Reagenzglas selbst entstehen zu sehen: »Ich will meine Substanzen selbst umkrystallisieren!«

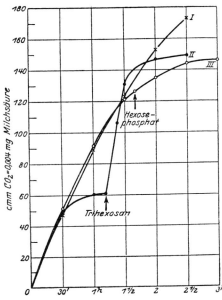

Milchsäurebildung und
Veresterung der Polysaccharide.
Aus einer Untersuchung Meyerhofs
über die chemischen Vorgänge
im Muskel

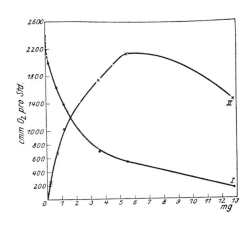

*Diagramm aus einer Arbeit
Meyerhofs über die Fixation des
Luftstickstoffs bei Azotobakterien:
Atmungsgeschwindigkeit in
Abhängigkeit vom Alter der Kultur
bzw. der Masse zugewachsener
Bakterien*

Otto Meyerhof*, am 12. April 1884 in Hannover geboren, habilitierte sich 1913 in Kiel für das Fach Physiologie, wurde dort 1918 Titularprofessor, 1921 außerplanmäßiger Professor und ging 1924 an das Kaiser-Wilhelm-Institut für Zellphysiologie* nach Berlin zu Otto Heinrich Warburg. 1929 wurde er Leiter des Physiologischen Instituts am Kaiser-Wilhelm-Institut für Medizinische Forschung in Heidelberg. Gleichzeitig wurde er zum ordentlichen Honorarprofessor an der Medizinischen Fakultät der dortigen Universität ernannt, eine Würde, die er 1936 unter dem Druck der Nationalsozialisten wieder verlor. Zwar konnte er noch bis 1938 in Heidelberg arbeiten, dann zwangen ihn die Rassenfanatiker zur Emigration, zunächst nach Paris, dann nach Amerika, wo er an der University of Pennsylvania in Philadelphia eine Professur für Physiologie erhielt. 1949 wurde er, um an ihm begangenes Unrecht wiedergutzumachen, erneut zum Honorarprofessor in Heidelberg ernannt. Am 6. Oktober 1951 starb Meyerhof in den Vereinigten Staaten.

Otto Meyerhof

Meyerhof erhielt den Nobelpreis noch als Assistent am Kieler Institut. Er konnte als erster nachweisen, wie im Körper aerobe, also von der Sauerstoffzufuhr abhängige, und anaerobe Stoffwechselprozesse, die keinen Sauerstoff benötigen, miteinander verknüpft sind. Er zeigte, daß der Muskel bei plötzlicher Leistung seine Energie stets aus dem immer verfügbaren anaeroben Prozeß gewinnt, was freilich eine Verschwendung von Ausgangsmaterial darstellt, da dieser Prozeß nicht sehr energiereich ist, und daß der Organismus mit Hilfe von Sauerstoff die Abbauprodukte wieder zu den ursprünglichen Verbindungen synthetisiert. Das Verhältnis von anaerobem Abbau und aerobem Wiederaufbau bezeichnen wir heute als Meyerhof-Quotient.

Meyerhofs Heidelberger Institut war in den dreißiger Jahren ein Zentrum internationaler Zellforschung. Seine Schüler sind heute Ordinarien in vielen Ländern der Welt.

Otto Meyerhof war nicht nur ein kluger und geschickter Experimentator, sondern er hatte auch künstlerische und philosophische Interessen. Den Doktorgrad der Philosophie erwarb er sich mit einer erkenntnistheoretischen Arbeit. Seine wissenschaftlichen Erfolge entsprangen, wie sein Schüler Hans Hermann Weber sagt, »dem fundierten und geschlossenen Weltbild einer Persönlichkeit höchster und harmonischer Menschlichkeit und moralischer Qualität«.

Otto Heinrich Warburg

Otto Heinrich Warburg* ist am 8. Oktober 1883 in Freiburg im Breisgau geboren, besuchte dort das humanistische Gymnasium, begann das Studium der Chemie in Freiburg und vollendete es in Berlin bei Emil Fischer mit einer Dissertation über die Stereochemie des Leucins. Der Vater, Emil Warburg, war ordentlicher Professor für experimentelle Physik in Freiburg, später in Berlin und schließlich Präsident der Physikalisch-Technischen Reichsanstalt*. Von ihm hat der Sohn das Verständnis für physikalische, vor allem strahlenphysikalische Probleme erlernt. Nach der chemischen Ausbildung ging er zu Ludolf Krehl* nach Heidelberg und studierte dort Medizin. Warburg selbst hat einmal gesagt, daß er in diesen drei Männern die besten Lehrer seiner Zeit gehabt habe.

Von 1913 bis zu seinem Tod am 1. August 1970 arbeitete Warburg, abgesehen von seinem Einsatz als Kavallerieoffizier im Ersten Weltkrieg, ununterbrochen im Kaiser-Wilhelm-, dem späteren Max-Planck-Institut für Zellphysiologie in Berlin-Dahlem.

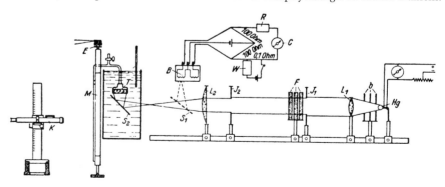

Manometrische Anordnung zur Bestimmung der photochemischen Ausbeute

63

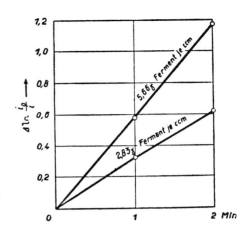

Bei seinen Arbeiten konnte sich Warburg auf keine Vorarbeiten stützen, die Probleme, die er anschnitt, hatten bisher noch keinen Forscher beschäftigt. So mußte er nicht nur gedanklich neue Wege gehen, sondern auch in der Versuchsanordnung und im Entwickeln neuer Techniken und Apparate. Als einen bestimmenden Teil seiner Arbeitsweise hat er die technische Begabung hervorgehoben, die mit eigener Hand etwas zu tun ermöglicht, was bisher noch von keinem getan worden ist. Nur so sei der Naturwissenschaftler in der Lage, wirklich Neues zu finden.

Durch diese Begabung hat Warburg entscheidende Entdeckungen gemacht. Ausgehend von seiner Beobachtung, daß das befruchtete Seeigelei plötzlich einen höheren Sauerstoffverbrauch hat, und von Untersuchungen über die Atmung der roten Blutkörperchen, kam er zu der Erkenntnis, daß bei allen Atmungsvorgängen das Eisen eine wesentliche Rolle spielen müsse. In einer genialen Versuchsanordnung konnte er dieses Eisen als integrierenden Bestandteil des Atmungsfermentes nachweisen. In diesem Atmungsferment ist Eisen in einer dem roten Blutfarbstoff ähnlichen Verbindung komplex gebunden.

Das zweite große Arbeitsgebiet Warburgs ist die Photosynthese der grünen Pflanzen. Er konnte, auch hier mit neuen Methoden, nachweisen, von welch hoher Ökonomie dieser Vorgang ist, bei dem unter Aufnahme von Lichtenergie Kohlensäure und Wasser zu Zucker und Sauerstoff umgewandelt werden.

Warburgs Gedanken waren stets mit dem Problem des Sauerstoffverbrauchs und des Sauerstofftransportes beschäftigt. Bei seinen Untersuchungen über Tumoren konnte er feststellen, daß Krebszellen ihren Energiebedarf nicht aus der normalen Atmung decken, sondern daß sie ohne Sauerstoffverbrauch nur durch Gärung lebens- und teilungsfähig bleiben. Dieser Prozeß wurde von Warburg im Sinne eines phylogenetischen* Rückschrittes gedeutet: wenn die Atmung verschwindet und die Gärung erscheint, verschwindet auch die Differenzierung der Gewebe. Denn die Gärung war der erste energieliefernde Prozeß des Lebens, der erst später durch die Sauerstoffatmung ersetzt wurde, die durch ihren geringeren Materialverbrauch eine Differenzierung der Lebewesen ermöglichte. Die Umkehr dieses Vorgangs beim Krebs bedeutet also Rückfall in eine frühere Epoche des Lebens. Noch ist eine Therapie, die auf der Tatsache beruht, daß Krebszellen gären, nicht abzusehen. Warburg ist jedoch überzeugt, daß sie gefunden werden kann.

Warburgs überragende Erfolge haben verschiedene Quellen, deren Ströme sich in ihm überaus glücklich vereinigt haben. Die Originalität seiner Methodik, die mit der Einführung optischer Methoden in die Biochemie diese einen gewaltigen Schritt nach vorn tun ließ, verbunden mit dem Bestreben, stets die einfachste Versuchsanordnung zu finden, haben ihn auf dem wissenschaftlichen Neuland, das er betrat, zu seinen Erfolgen geführt. »Mit keiner komplizierten Versuchsanordnung haben wir jemals etwas Wesentliches entdeckt«, sagt er selber.

Bei Warburgs exaktem Experimentieren ist es selbstverständlich, daß er von der Richtigkeit seiner Ergebnisse fest überzeugt ist und seine Versuche und deren Zuverlässigkeit im wissenschaftlichen Streitgespräch scharf verteidigt. »Wenn ich keinen wissenschaftlichen Streit mehr führen kann, dann bin ich alt«, hat er einmal gesagt.

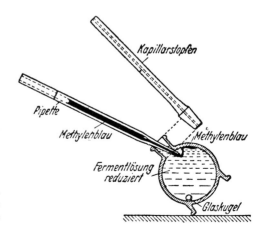

Oben: Optischer Zymohexase-Test aus einer Arbeit über Gärungsfermente
Rechts: Einführung der Methylenblaulösung zur Bestimmung der
absoluten Konzentration des sauerstoffübertragenden Ferments

64

Otto Heinrich Warburg   1931

Hans Spemann   1935

Als im Jahre 1908 Hans Spemann* den Ruf auf das Ordinariat für Zoologie der Universität Rostock erhielt, bahnte sich eine Wende auf diesem Fachgebiet an. Zum ersten Mal hatte man nicht einen vergleichend anatomisch arbeitenden Zoologen, sondern einen Vertreter der Entwicklungsphysiologie gewählt und damit das neue Fach anerkannt.

Hans Spemann

Hans Spemann, der am 27. Juni 1869 in Stuttgart geboren wurde, hatte sich schon in seinem Studium, das er erst nach einer Lehre als Buchhändler begann, besonders mit Fragen der Keimentwicklung befaßt, einer Arbeit, die für sein gesamtes weiteres Schaffen richtungweisend wurde. Vor allem in seiner Würzburger Studienzeit lernte er die mikroskopische Methode und die instrumentellen Möglichkeiten kennen, die er für seine späteren Untersuchungen brauchte.

Diese Arbeiten, durchgeführt in Rostock, in Berlin, wo Spemann zweiter Direktor des Biologischen Instituts der Kaiser-Wilhelm-Gesellschaft zur Förderung der Wissenschaften* war, und in Freiburg, wohin er als Ordinarius berufen wurde, führten zu Beginn der zwanziger Jahre zu jenen Erkenntnissen, für die ihm der Nobelpreis zugesprochen wurde: zur Entdeckung des Organisatoreffektes bestimmter Keimteile eines ganz jungen befruchteten Eies. »Ein solches Stück eines Organisationszentrums kann man kurz einen ›Organisator‹ nennen; er schafft sich in dem indifferenten Material, in dem er liegt, oder in welches er künstlich verpflanzt wird, ein ›Organisationsfeld‹ von bestimmter Richtung und Ausdehnung«, schrieb er zu dieser Entdeckung.

Handschrift Spemanns im Alter von 66 Jahren

Spemann hat seine Forschungen nie überbewertet. Als die Feiern und Glückwünsche nach der Nobelpreisverleihung sich häuften, machte er sich folgende Notiz: »Ich bin zwar durch die Verleihung des Preises bekannter, aber nicht gescheiter geworden. Das scheinen viele zu vergessen.«

Auch das mündlich mitgeteilte Gespräch mit dem Präsidenten der Kaiser-Wilhelm-Gesellschaft Adolf von Harnack* bei den Berufungsverhandlungen nach Berlin beleuchtet diesen Charakterzug Spemanns. Auf seine Frage, welches seine Verpflichtungen der Gesellschaft gegenüber seien, antwortete Harnack, die Gesellschaft pflege den Professoren keine Verpflichtungen aufzuerlegen, erwarte aber erfolgreiche wissenschaftliche Arbeit. Spemann erwiderte mit leisem Schmunzeln, das könne er aber nicht versprechen – Harnack, er nehme aber an, daß er wenigstens fleißig sei – Spemann, auch das könne er nicht versprechen.

Dabei war Spemann ein fleißiger Professor, dazu zwangen ihn schon seine Versuche, denn in der Laichzeit der Frösche und Lurche – mit den Eiern dieser Tiere machte er seine Experimente – mußte er von morgens früh bis abends spät auf den Beinen sein. Außerhalb dieser Monate aber bemühte er sich, am Abend nicht zu arbeiten, sondern für seine Familie da zu sein. Bei Gesprächen über Kunst, Literatur und Philosophie suchte er Entspannung und Anregung. Dem gleichen Geist entsprangen die Leseabende, an denen sich die Mitglieder seines Institutes nicht zu wissenschaftlichem Gespräch, sondern zum Hören von alter und neuer Literatur zusammenfanden. An solchen Abenden war Spemann fast immer mit einer Handarbeit, meist mit dem Knüpfen von Netzen, beschäftigt.

Diese manuelle Geschicklichkeit und dazu seine künstlerische Begabung waren entscheidend für Spemanns wissenschaftlichen Erfolg. Die erste erlaubte ihm, die feinen Glasinstrumente, die er für die Operationen an den Eiern benötigte, selbst zu entwickeln und herzustellen, die zweite bewirkte die Schönheit seiner Bilder und Präparate, die weit über den Institutsdurchschnitt hinausragten. In seinen Erinnerungen schreibt er über die Verbindung von wissenschaftlicher und künstlerischer Arbeit: »Ein Forscher, welcher neben dem zergliedernden Verstand nicht wenigstens eine Ader vom Künstler besitzt, ist meiner Überzeugung nach unfähig, dem innersten Wesen des Organismus näherzukommen.«

Verehrung und Anerkennung seiner Schüler erwarb sich Spemann durch seine Gerechtigkeit und Unbestechlichkeit sich selbst und anderen gegenüber. Nie ließ er Schüler für seine Veröffentlichungen arbeiten, ohne deren Namen zu nennen, stets war er mit Lob für eine echte Leistung bei der Hand. Als er einem Schüler eine größere Arbeit zurückgab, und dieser darum bat, sie mit ihm genauso kritisch wie einst die Doktorarbeit durchsprechen zu dürfen, lehnte Spemann das ab mit der Bemerkung: »Das ist nicht nötig, ich habe genug von Ihnen gelernt.«

Als Emeritus ist Hans Spemann am 12. September 1941 in Freiburg gestorben.

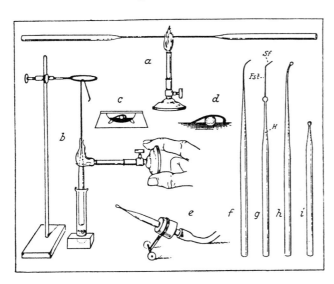

Spemanns mikrochirurgische Instrumente

Gerhard Domagk

»Für seine Entdeckung der therapeutischen Wirkung von Prontosil bei verschiedenen Infektionskrankheiten«, heißt es in der Verleihungsurkunde des Nobelpreises an Gerhard Domagk* im Jahre 1939. Freilich konnte er den Preis nicht in Empfang nehmen, die damaligen Machthaber hatten allen Deutschen seine Annahme verboten. Domagk scherte sich nicht um dieses Verbot, er bedankte sich in Stockholm für die große Ehre und nahm es in Kauf, daß er deshalb für mehr als eine Woche im Gefängnis eingesperrt wurde. So konnte er das Diplom erst 1947 aus der Hand des schwedischen Königs entgegennehmen, der dazugehörige Geldbetrag war, den Statuten gemäß, allerdings verfallen.

Die Tat, für die Gerhard Domagk ausgezeichnet wurde, lag im Jahr der Würdigung sieben Jahre zurück. Bis 1932 gab es gegen viele Infektionskrankheiten, die durch Bakterien hervorgerufen werden, kein wirklich wirksames Mittel. War der Körper einmal von Bakterien befallen, dann war eine schnelle Heilung nur unter günstigsten Umständen zu erzielen. Kindbettfieber, Lungenentzündung, Ruhr, Hirnhautentzündung, Scharlach, Wundrose, eitrige Sepsis waren Krankheiten, denen der Arzt hilflos gegenüberstand. Hier setzte Domagk mit seiner Arbeit ein. Jahre vorher waren chemische Mittel gegen Protozoen*, gegen die Erreger vor allem der Tropenkrankheiten, entdeckt worden. Domagk untersuchte nun Hunderte von chemischen Verbindungen auf ihre bakericide* oder bakteriostatische* Wirksamkeit. Um diese Prüfungen sorgfältig vornehmen zu können, bedurfte es ganz besonderer Forschungsgrundsätze, die er selbst so formulierte: »Die kleinsten Dinge beachten, vor allem kleinste Abweichungen vom Normalen. Diese Sicht in der medizinischen Forschung schärft vor allem die Pathologie.« Denn Domagk war weder Chemiker noch Pharmakologe, sondern Pathologe. 1924 hatte er sich als 28jähriger, er ist am 30. Oktober 1895 in Lagow/Brandenburg geboren, in Greifswald mit einer Arbeit »Untersuchungen über die Bedeutung des reticuloendothelialen Systems für die Vernichtung von Infektionserregern und für die Entstehung des Amyloids« habilitiert. Schon damals also galt sein Interesse der Vernichtung von Bakterien, wenn er auch zunächst den Hauptfaktor in den Abwehrmöglichkeiten des Körpers selbst suchte.

Wir sagten, Domagk war weder Chemiker noch Pharmakologe, er hat auch die Sulfonamide, deren erstes das Prontosil war, nicht entwickelt; diese waren schon mehr als 20 Jahre bekannt und konnten im Laboratorium hergestellt werden.

Domagks Leistung ist die unermüdliche Suche nach einem antibakteriellen Wirkstoff, den er schließlich wenige Tage vor Weihnachten des Jahres 1932 im Prontosil fand, das ihm die beiden Chemiker Mietzsch und Klarer, die gemeinsam mit ihm im Institut für experimentelle Pathologie und Bakteriologie der Bayer-Werke in Elberfeld arbeiteten, in die Hand gaben. Eine streptokokkeninfizierte Maus überlebte nach Gaben von Prontosil ihre Erkrankung.

Die Bewährungsprobe des Prontosil aber sollte weit dramatischer verlaufen! Domagks vierjährige Tochter war im Dezember 1933 nach einem Nadelstich an einer eitrigen Phlegmone* des Armes erkrankt. Die Chirurgen wußten trotz 14 Inzisionen bald keinen anderen Rat, als den Eltern die Amputation des Armes zu empfehlen. Da griff Domagk selbst in die Behandlung ein. Fast ein Jahr lang hatte er das Prontosil untersucht, jetzt war die Stunde der Bewährung gekommen. Er verordnete das von ihm entdeckte Medikament, der Arm heilte, sein Kind war gerettet. Domagk hat diesen ersten Erfolg beim Menschen nie veröffentlicht, nur durch die Erzählung von Freunden wissen wir von dieser ersten Anwendung. Wenn auch seine Mitarbeiter Domagk die chemischen Präparate zur Verfügung

Gedanken Domagks vor Bildern von Christian Rohlfs

69

stellten, auf ihre Heilwirkung geprüft hat er sie stets ganz allein. »Ich habe alle entscheidenden Versuche solange selbst durchgeführt, bis ich ganz sicher war.« Darum konnten ihn auch gegenteilige Berichte nicht erschüttern; was er im Versuch als richtig erkannt hatte, das stand für ihn unumstößlich fest.

Nach dem Krieg wandte sich Domagk einer Erkrankung zu, die durch die Sulfonamide nur wenig beeinflußt worden war, der Tuberkulose. Auch hier gelang es ihm, ein wirksames Mittel zu finden, das Conteben, das 1952 durch das Neoteben abgelöst wurde. Nun stand neben dem von Waksman* in die Therapie eingeführten Streptomycin und der Paraaminosalicylsäure ein drittes Mittel zur Bekämpfung dieser Krankheit zur Verfügung.

Domagks letztes Wirken galt der Suche nach Chemotherapeutica* gegen den Krebs. So wie er in zäher Arbeit ein Mittel gegen die Bakterien gefunden hatte, glaubte er, auch ein Mittel gegen den Krebs finden zu können: »Ich bin überzeugt, daß wir in absehbarer Zeit über wirksame Mittel gegen den Krebs verfügen ... Ich hoffe, den Sieg über den Krebs noch zu erleben.« Diese Hoffnung trog, Domagk starb am 24. April 1964, ohne ein Mittel gegen den Krebs gefunden zu haben. Mit seiner Entdeckung der Wirkung der Sulfonamide aber hat er eine neue Epoche der medikamentösen Therapie eingeleitet.

Gerhard Domagk   1939

Werner Forßmann   1956

Werner Forßmann

Als einer der letzten Redner der 55. Tagung der Deutschen Gesellschaft für Chirurgie in Berlin trat am 11. April 1931 ein junger Arzt aus der Provinz, aus Eberswalde, ans Rednerpult und berichtete von einer Entdeckung, die er gemacht hatte. Das Auditorium, erschöpft von der Vielzahl der Referate, döste vor sich hin und hörte nicht auf den bedeutsamsten Vortrag der ganzen Tagung. Was aber hatte der am 29. August 1904 in Berlin geborene Werner Forßmann* so Entscheidendes mitzuteilen? Schon 1929 hatte er in der Klinischen Wochenschrift über die »Sondierung des rechten Herzens« geschrieben und berichtet, er habe sich, nach Versuchen an der Leiche, einen dünnen Gummischlauch von etwas mehr als einem Millimeter Dicke von der Ellenbeuge aus durch eine Armvene bis in die rechte Herzkammer vorgeschoben und dabei keine besonderen Schmerzen empfunden.

Welche Dramatik verbirgt sich hinter diesen nüchternen Worten! Wieviel an Anstrengung und persönlichem Mut bedurfte es, bis Forßmann das Ergebnis veröffentlichen konnte! Ausgangspunkt seiner Überlegungen war der Gedanke, die Gefahren, die bei einer intracardialen Injektion durch Verletzung einer Coronararterie oder des Brustfells auftreten können, zu vermindern oder zu umgehen. Er suchte nach einem anderen Weg ins Herz. Auf einer alten Abbildung hatte er gesehen, wie einem Tier ein Rohr von einer geöffneten Halsvene aus bis ins Herz vorgeschoben war. Wenn man nun statt des starren Rohres ein bewegliches, etwa einen Katheter nähme, müßte man auch von einer anderen als der Halsvene bis ins Herz vordringen können. Das Venensystem ist so gebaut, daß man von jeder Stelle aus durch die Gefäße ins rechte Herz kommt. Forßmann begann seine Versuche an der Leiche. Er schob den Katheter durch eine Armvene ins Herz vor, niemals traten Schwierigkeiten auf, immer landete die Sondenspitze exakt im Herzen. Die Länge der Sonde

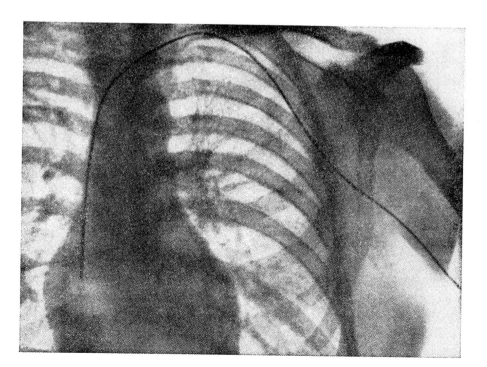

Katheter, durch eine Armvene bis in die rechte Herzvorkammer vorgeschoben: Röntgenaufnahme von Werner Forßmanns Selbstversuch im Jahre 1929

wurde mit 65 Zentimetern bestimmt. Wie aber sollte es weitergehen? Um Versuchstiere anzuschaffen, reichte der Etat des kleinen Krankenhauses nicht aus. Und würde der Tierversuch beweisend sein für die Ungefährlichkeit beim Menschen? Wer aber würde sich eine Sonde ins Herz schieben lassen? Forßmann war sich sehr schnell darüber klar, daß nur er selbst es sein konnte. Überzeugt, daß sein Verfahren ungefährlich sei, wollte er die Sondierung an sich selbst durchführen lassen. Aber sein Chef Dr. Schneider und der befreundete Kollege Dr. Romeis lehnten Verantwortung und Mitarbeit ab. Zwar gelang es Forßmann, Romeis zu überreden, die Sondierung vorzunehmen, aber als dieser die Sonde zur Hälfte eingeschoben hatte, verließ ihn der Mut, bleichen Angesichts brach er den Versuch ab, er wollte die große Verantwortung nicht tragen.

So wartete Forßmann auf eine günstige Gelegenheit, und als keiner der Kollegen anwesend war, ließ er sich im Operationssaal die Instrumente für einen kleinen Eingriff richten. Als die Operationsschwester zufällig noch einmal den Saal betrat, sah sie, wie Forßmann gerade begann, das Experiment an sich selber, allein und ohne Hilfe, durchzuführen. Nachdem er sich die Ellenbeuge lokal betäubt hatte, öffnete er eine Vene und schob den Katheter Zentimeter um Zentimeter nach oben, bis die Spitze in der rechten Herzkammer lag. Es stellten sich keine Nebenerscheinungen von Belang ein, ja, Forßmann machte sich mit der Sonde im Herzen auf den im Eberswalder Krankenhaus recht weiten Weg zum Röntgenraum, durch zwei lange Korridore, eine steile Treppe hinunter ging er Schritt für Schritt ohne irgendwelche Beschwerden. Mit Hilfe eines Spiegels sah er bei der Durchleuchtung die Sondenspitze in seinem Herzen liegen.

Am 1. Oktober 1931 kam Forßmann nach Berlin an die Charité*, aber seine Anstellung dort sollte nicht von Dauer sein. Die Berliner Nachtausgabe berichtete sensationell aufgemacht von Forßmanns Versuchen; Sauerbruch*, sein Chef, vielleicht in seinem Ehrgeiz gekränkt, nannte ihn einen Scharlatan, für den an seiner Klinik kein Platz sei.

Keine der Koryphäen der Zeit erkannte die ungeheuren Möglichkeiten, die das neue Verfahren bot: Sondierung des Herzens, um Mißbildungen zu erkennen, Druckmessung in den einzelnen Herzabschnitten, Röntgendarstellung des Herzens mittels Konstrastmittelinjektion. Alle diese Untersuchungen, zur Herzdiagnostik heute unentbehrlich, beruhen auf dem von Werner Forßmann an sich selbst erprobten Herzkatheter.

Als die deutschen Mediziner die großartige Erfindung Forßmanns nicht beachteten und ihren Wert nicht erkannten, konnte er nicht ahnen, daß über 25 Jahre später, kurz vor der Verleihung des Nobelpreises im Jahre 1956, ein amerikanischer Wissenschaftler zu ihm sagen würde: »You are the typical man before his time!«

Erst nach der Verleihung des Nobelpreises nahmen auch die deutschen Universitäten in West und Ost von ihm Notiz, machten ihn zum Honorarprofessor und Ehrendoktor. Er aber wurde mehr und mehr zu einem unbequemen und ungeliebten Kritiker der modernen Medizin. Am 1. Juni 1979 starb er in Schopfheim im Schwarzwald.

Im Jahre 1964 erhielten zwei Chemiker den Nobelpreis für Physiologie oder Medizin, der Deutsche Feodor Lynen* und der Amerikaner Konrad Bloch*, für ihre Arbeiten über den Mechanismus und die Regulierung des Cholesterin- und Fettsäurestoffwechsels.

Feodor Lynen

Feodor Lynen ist am 6. April 1911 in München geboren, wo sein Vater Professor an der Technischen Hochschule war. Er studierte seit 1930 an der Münchener Universität Chemie und promovierte mit einer Arbeit über die Giftstoffe des Knollenblätterpilzes. Sein Doktorvater war der Nobelpreisträger Heinrich Wieland, der 1937 auch sein Schwiegervater werden sollte. 1942 nahm Lynen seine Lehrtätigkeit in München auf, 1947 wurde er zum Extraordinarius für Biochemie, 1953 zum Ordinarius und 1954 zum Direktor des Instituts für Zellchemie, des späteren Max-Planck-Instituts, ernannt. 1972 schuf die Max-Planck-Gesellschaft, deren Vizepräsident Lynen wurde, aus drei Einzelinstituten das Institut für Biochemie in Martinsried, dessen Leitung er übernahm und in dem sein früheres Institut nun als Abteilung weiterlebte. Im Frühjahr 1979 wurde er emeritiert und hoffte, sich nun wieder verstärkt der Wissenschaft widmen zu können. Völlig unerwartet verstarb er am 6. August 1979. Im Laboratorium Heinrich Wielands war Lynen zum ersten Mal mit dem Problem in Berührung gekommen, das für seine späteren Forschungen bestimmend wurde, mit dem Problem des Essigsäurestoffwechsels. Über die Essigsäure sagt Lynen: »Sie ist eine der einfachsten, nur zwei Kohlenstoffatome enthaltenden organischen Carbonsäuren, die im Stoffwechsel aller Lebewesen eine Schlüsselstellung einnimmt. Sie entsteht als Zwischenprodukt beim biologischen Abbau zahlreicher Nährstoffe in der Zelle, leitet deren Endoxydation zu CO_2 ein, und dient auch als Baustein komplizierter, zum Teil lebenswichtiger Moleküle.« Von der Überlegung ausgehend, daß die im chemischen Versuch stets recht träge Essigsäure im Organismus viel schneller und spontaner reagieren muß, postulierte er die aktivierte Essigsäure, an der außer der Energiequelle ATP auch das von Lipmann* entdeckte Co-Enzym-A beteiligt sei. Lynen gelang es, die chemische Struktur des Co-Enzym-A und der aktivierten Essigsäure zu ermitteln. Aktivierte Essigsäure ist nichts anderes als die Verbindung von Essigsäure und Co-Enzym-A. Diese aktivierte Essigsäure, das Acetyl-Co-A, ist eine äußerst energiereiche Verbindung. Aus ihr kann der Organismus über eine lange Reihe von Zwischenstufen lebenswichtige Substanzen, unter ihnen das Cholesterin, aufbauen.

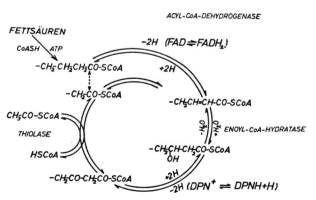

Der »Fettsäure-Cyclus«:
aus Lynens Nobelvortrag

Aber nicht nur den Aufbau des Cholesterins konnte Lynen klären, wobei die Entdeckung der Mevalonsäure, die aus drei Molekülen Acetyl-Co-A synthetisiert wird, den entscheidenden Fortschritt brachte, auch die Oxydation der Fettsäuren konnte mit Hilfe des Co-Enzym-A studiert werden. So beschrieb Lynen seinen Fettsäure-Zyklus. In diesem Zyklus wird der Aufbau der einzelnen Fettsäuren nicht durch eine Reihe von Fermenten* – je eines für jeden Umwandlungsprozeß – katalysiert, sondern durch einen Multi-Enzym-Komplex. Dieser Komplex ist der Reihe einzelner Enzyme* überlegen in seiner Leistungsfähigkeit, und er ist weniger leicht störbar durch andere Enzyme, zum Beispiel die des Fettsäureabbaus. Dadurch hat die Zelle die Möglichkeit, ihren Fettsäureaufbau getrennt vom Fettsäureabbau vorzunehmen. Welchen praktischen Nutzen aber hat nun diese Entdeckung? Eine der gefährlichsten Erkrankungen unserer heutigen Zeit ist die Arteriosklerose. Ihre Entstehung wird begünstigt und gefördert durch eine Hyperlipämie, vielleicht auch durch eine Hypercholesterinämie, das heißt, im Blut sind die Fett- und Cholesterinwerte über die Norm hinaus erhöht. Diese Neutralfette und das Cholesterin lagern sich in die Gefäßwand ein, führen zum Verlust der Elastizität dieser Wand und verengen den Raum, in dem das Blut strömen kann, zum Teil ganz erheblich. Nach Ansicht mancher Ärzte disponiert eine Hypercholesterinämie auch zum Herzinfarkt, einer weiteren schwerwiegenden Erkrankung unserer Zeit. Wenn es möglich ist, den Fettsäure- und Cholesterinaufbau mit Hilfe eines Medikaments zu steuern, kann von hier aus der Weg zu einer kausalen Therapie der Kreislauferkrankungen beschritten werden. Die Schwierigkeiten auf diesem Weg hat Lynen selbst aufgezeigt: »Wenn es gelingt, Stoffe zu finden, die gleich den Fettsäure-Co-Enzym-A-Verbindungen die Acetyl-CoA-Carboxylase hemmen, aber im Gegensatz zu ihnen nicht in die Neutralfette oder Phosphatide eingebaut werden, dann müßte es gelingen, die Fettsäuresynthese medikamentös zu beeinflussen.«

Als Werner Heisenberg 1975 schwer erkrankte, da trat Feodor Lynen seine Nachfolge an als Präsident der Alexander von Humboldt-Stiftung. Diese Stiftung ermöglicht es jungen ausländischen Gelehrten, ihre eigenen Forschungsvorhaben an deutschen Instituten auszuführen; Jahr für Jahr werden etwa 500 Stipendien vergeben.

Feodor Lynen 1964

Georges Köhler   1984

Georges Köhler

Im August 1975 veröffentlichten César Milstein und Georges Köhler in dem renommierten Wissenschaftsmagazin »Nature« einen Artikel über die Herstellung monoklonaler Antikörper. Köhler war 1974 zu einem zweijährigen Forschungsaufenthalt nach Cambridge an das von Milstein geleitete Medical Research Council Laboratory of Molecular Biology von Basel aus gekommen, wo er unter Niels Jerne am Basler Institut für Immunologie gearbeitet hatte. Am 10. Dezember 1984 trafen sich die drei Wissenschaftler in Stockholm, um den Nobelpreis für Medizin oder Physiologie entgegenzunehmen.

Am 7. April 1946 in München geboren, machte Georges Köhler 1964 sein Abitur in Kehl. Ein älterer Bruder war Mathematikstudent, ein zweiter Kunstwissenschaftler. Georges Köhler suchte etwas »dazwischen«. So entschied er sich für das Studium der Biologie, das er an der Universität Freiburg begann und 1970 mit Diplom abschloß. 1971 trat er in das gerade gegründete Baseler Institut für Immunologie ein, das sich sehr schnell zu einem der bedeutendsten Forschungszentren in Europa entwickeln sollte. Köhlers Dissertation über die Heterogenität von Antikörpern, die er 1973 vorlegte, deutet schon die Richtung seiner Forschungen an.

Als Köhler nach seinem Aufenthalt in Cambridge nach Basel zurückkehrte, erinnerte ihn ein Kollege daran, was er kurz vor seiner Abfahrt gesagt hatte: »Jetzt gehe ich zu Milstein, lerne da die Zellfusion und mache dann alle möglichen Antikörper«. Der

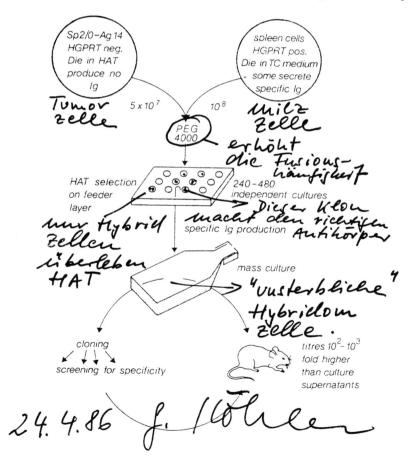

Grundstein war also schon frühzeitig gelegt, und die mit dem Nobelpreis gewürdigte Leistung war doch größer als Köhler sie gerne darstellt, als Ausdruck der Tatsache, daß am richtigen Ort just zur richtigen Zeit einer die richtige Idee hatte.

Was sind das, monoklonale Antikörper und welche Bedeutung haben sie für Biologie und Medizin? Das Immunsystem des Körpers dient dazu, eingedrungene körperfremde Strukturen zu erkennen und unschädlich zu machen. Unter anderem bedient es sich dazu bestimmter Antikörper, die von gleichermaßen bestimmten weißen Blutzellen gebildet werden und die den Eindringling, das Antigen, durch Anlagerung wirkungslos und vernichtbar machen.

Gegen nur jedes denkbare Antigen muß der Körper in der Lage sein, einen Antikörper zu bilden. Zellen, die diese Eigenschaft, gegen ein Antigen gerichtet zu sein, und nur diese benützen, werden als Klon bezeichnet, alle Abkömmlinge einer solchen Zelle sind monoklonal.

Die geniale Idee von Milstein und Köhler war es, ein Verfahren zu entwickeln, das eine Züchtung solcher Zellen außerhalb des Körpers ermöglichte. Durch die Einimpfung von Schafserythrozyten wurde das Immunsystem einer Maus angeregt, Antikörper gegen dieses Antigen zu bilden, eine Aufgabe, die von spezifischen heranreifenden Zellen in der Milz übernommen wird. Diese Zellen haben jedoch außerhalb des Körpers keine Überlebenschance. Tumorzellen indes haben die Eigenschaft auch außerhalb des Körpers weiterzuwachsen und sich zu vermehren. Es gelang, Zellen eines bestimmten Tumors, eines Myeloms, mit den Plasmazellen zu Hybridzellen zu verschmelzen, die nun die idealen Eigenschaften hatten: sie produzierten monoklonale Antikörper, und sie waren außerhalb des Körpers züchtbar. Freilich ist die Verschmelzung zweier solcher Zellen ein extrem seltenes Ereignis: nur einmal auf 10 000 Tumorzellen erfolgt es. Dennoch gelang es, eine ausreichend große Anzahl von Fusionen zu bewerkstelligen und die Hybridzellen zu Wachstum und Vermehrung anzuregen. Heute ist die Produktion monoklonaler Antikörper im großen Maßstab möglich und wird realisiert.

Die Entwicklung der monoklonalen Antikörper hat nicht nur für die Immunologie eine erhebliche Bedeutung, sondern ganz allgemein für Biologie und Medizin. Von den vielfältigen Möglichkeiten seien nur angedeutet die Reinigung biologischer Substanzen, die Identifizierung einzelner Zellen, die Diagnosestellung bei bakteriellen und Viruserkrankungen, aber auch bei Tumoren, die Therapie von akuten Infektionskrankheiten, wenn es gelingt, menschliche monoklonale Antikörper zu züchten.

Georges Köhler kehrte 1976 nach Basel zurück, seit 1984 ist er als Direktor des Max-Planck-Instituts für Immunbiologie in Freiburg tätig, wo er die Abteilung Molekulare Immunologie leitet.

Wilhelm Conrad Röntgen

Im europäischen Denken des ausgehenden 19. Jahrhunderts waren konservative Auffassungen vorherrschend. Sowohl die staatlich-gesellschaftliche Ordnung wie auch die Wissenschaft wurden durchaus als statisch, oder jedenfalls als nach einer stürmischen Aufbauphase nunmehr sehr langsam veränderlich angesehen.

Ungeheures Aufsehen erregte es daher, als Wilhelm Conrad Röntgen* Ende Dezember 1895 von Würzburg aus die Entdeckung einer geheimnisvollen »neuen Art von Strahlen« bekanntgab. Überall wurden die Röntgenschen Versuche wiederholt, und bereits im ersten Jahr nach der Veröffentlichung erschienen 49 einschlägige Bücher und Broschüren und 995 Zeitschriftenaufsätze. Man begann nun auch nach anderen noch unbekannten Strahlen zu suchen, und schon im Februar 1896 wurde von Henri Becquerel* eine weitere bisher unbekannte Strahlung an Uranmineralien aufgefunden.

Die nun rapid zunehmenden experimentellen Ergebnisse sprengten die festgefügt scheinende Ordnung in der Wissenschaft: Es bahnte sich die teilweise recht stürmisch verlaufende Umbildung von der »klassischen« Physik des 19. Jahrhunderts zur modernen Physik an, die man gerne mit dem Schlagwort »Umsturz im Weltbild der Physik« kennzeichnet.

Bevor der hereinbrechende »Presserummel« Röntgen zu einem gänzlichen Abschluß vor der Öffentlichkeit bewog, hat er glücklicherweise einem Reporter ein Interview gewährt, in dem der sonst so Schweigsame einige Angaben über die Umstände der Entdeckung gemacht hat:

»Ich interessierte mich schon seit langer Zeit für die Kathodenstrahlen*, wie sie von Hertz* und speziell von Lenard in einer luftleeren Röhre studiert worden waren. Ich hatte die Untersuchung dieser und anderer Physiker mit großem Interesse verfolgt und mir vorgenommen, sobald ich Zeit hätte, einige selbständige Versuche in dieser Beziehung anzustellen; diese Zeit fand ich Ende Oktober 1895. Ich war noch nicht lange bei der Arbeit, als ich etwas Neues beobachtete. Ich arbeitete mit einer Hittorf-Crookesschen Röhre*, welche ganz in schwarzes Papier eingehüllt war. Ein Stück Bariumplatinzyanürpapier lag daneben auf dem Tisch. Ich schickte einen Strom durch die Röhre und bemerkte quer über das Papier eine eigentümliche schwarze Linie.« – »Was war das?«

»Die Wirkung war derart, daß sie den damaligen Vorstellungen gemäß nur von einer Lichtstrahlung herrühren konnte. Es war aber ganz ausgeschlossen, daß von der Röhre Licht kam, weil das dieselbe bedeckende Papier sicherlich kein Licht hindurchließ, selbst nicht das einer elektrischen Bogenlampe.«

»Was dachten Sie sich da?« – »Ich dachte nicht, sondern ich untersuchte.«

Beschriftung eines Briefbündels durch Röntgen

Tausende von Zuschriften die sich auf die Entdeckung der X-Strahlen bezogen – namentlich in der ersten Zeit – habe ich als zu wenig interessent verbrannt. Inliegende Briefe […] bilden einen Teil der im Januar 1916 erhaltenen und mögen Zeugen von der damaligen Hochflut der Zuschriften

1921. R.

Röntgen arbeitete so vorsichtig und sicher, daß alle seine experimentellen Ergebnisse die sofort an vielen Orten angestellten Prüfungen bestanden. Als besonderes Charakteristikum seiner Strahlen stellte Röntgen fest, daß sie Körper zu durchdringen vermögen, aber das in ganz verschiedenem Ausmaß. Bei der Durchstrahlung eines Holzkästchens bildeten sich zum Beispiel die darin enthaltenen Metallgewichte auf der photographischen Platte als dunkle Schatten ab. So fertigte Röntgen auch als erster »Röntgen-Bilder« einer menschlichen Hand an und zeigte damit, daß seine Entdeckung auch für die Medizin von großer Bedeutung werden würde. Tatsächlich regte nichts so sehr die Phantasie der Zeitgenossen an wie die nun mögliche Sichtbarmachung des menschlichen Skelettes. Viele Witzblätter bemächtigten sich des »aktuellen« Themas.

Durch seine Entdeckung war Röntgen mit einem Schlage ein berühmter Mann geworden. So erhielt er auch als erster den Nobelpreis für Physik im Jahre 1901. Aber alle Ehrungen haben ihn doch mehr erschreckt als erfreut. Max von Laue, dem 1912 mit seinen Röntgenstrahlinterferenzen an Kristallen eine wesentlich über Röntgen hinausgehende Leistung geglückt war, schrieb in seinem Lebensrückblick über den verehrten Röntgen:

»Oft hat man nach den Ursachen gefragt, aus denen dieser Mann sich nach seiner epochemachenden Leistung von 1895/96 so zurückhielt ... Nach meiner Auffassung hatte ihn der Eindruck seiner Entdeckung so überwältigt, daß er, der sie als Fünfziger machte, sich nie mehr davon erholte. Denn – das bedenken nur wenige – jede geistige Großtat belastet den, der sie vollbracht hat. Daß er zudem, wie auch viele andere Entdecker, die charakterlichen Schattenseiten seiner Mitmenschen empfindlich zu spüren bekam, hat dem nicht gerade entgegengewirkt.«

Röntgen

Versuchsapparat Röntgens
aus dem Jahre 1895
zur röntgenphotographischen
Aufnahme einer Hand

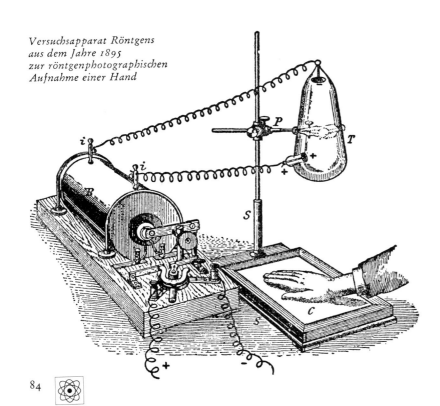

Wilhelm Conrad Röntgen   1901

Nach der Entdeckung der elektrischen Gasentladung war es eine fast allgemeine Modelaune, die mit Druck und Spannung wechselnden bunten Leuchterscheinungen der Entladung zu beobachten. Die Physik wandte sich zunächst den »Kathodenstrahlen« zu, einem Agens, das von der negativen Kathode ausging und sich durch die Entladungsröhre zur gegenüberliegenden Wand ausbreitete. Diese Kathodenstrahlen waren »den übrigen Entladungserscheinungen gegenüber ausgezeichnet durch die anziehende Eigenschaft der Einfachheit«.

Als Assistent von Heinrich Hertz* führte Philipp Lenard* dessen frühere Versuche fort. Er benutzte die von Hertz entdeckte Durchlässigkeit von dünnen Metallfolien für Kathodenstrahlen zur Konstruktion des sogenannten »Lenardfensters«. Mit diesem konnte Lenard die Kathodenstrahlen aus dem Entladungsraum herausführen, entweder in freie Luft oder in einen weiteren evakuierten Raum. Damit war die von der Entladung unabhängige Existenz der Kathodenstrahlen bewiesen, zugleich waren »zum ersten Male völlig reine Versuche« möglich.

Lenard untersuchte die Absorption der Strahlen, wobei er zum Nachweis einen Phosphoreszenzschirm verwendete, der aufleuchtete, sobald er von Kathodenstrahlen getroffen wurde.

»Wenden wir den Phosphoreszenzschirm an, so finden wir ihn dicht am Fenster grell leuchtend; ... in etwa 8 cm Entfernung bleibt der Schirm ganz dunkel; offenbar ist die Luft von vollem atmosphärischem Druck für die Kathodenstrahlen gar nicht sehr durchlässig, bei weitem nicht so sehr, wie etwa für Licht. Da müssen denn diese Strahlen etwas außerordentlich Feines sein, so fein, daß der molekulare Bau der Materie, welcher den immerhin sehr feinen Lichtwellen gegenüber verschwindet, ihnen gegenüber sehr merklich wird. Natürlich wird es dann auch möglich sein können, mit Hilfe dieser Strahlen Auskünfte zu erhalten, über die Beschaffenheit der Moleküle und Atome.«

Tatsächlich konnte Lenard aus der Absorption der Kathodenstrahlen durch Materie den richtigen Schluß ziehen, daß das wirksame Kraftzentrum des Atoms auf einen winzigen Bruchteil des aus der Gastheorie her bekannten Atomvolumens konzentriert ist. Diese Lenardsche »Dynamide« war ein wichtiger Vorläufer des Atommodells von Rutherford*, der 1911 aus Ablenkungen der α-Teilchen denselben Schluß zog wie Lenard zuvor aus der Streuung von Elektronen*.

Philipp Lenard

Aus einer Postkarte Lenards an Stark vom 14. 7. 1915

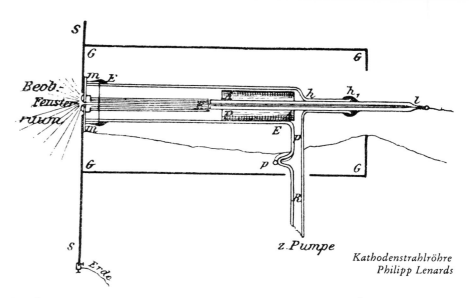

Kathodenstrahlröhre
Philipp Lenards

Durch die prinzipielle Klärung des lichtelektrischen Effektes und der Phosphoreszenz hat Lenard auch zur Entwicklung des Quantenkonzeptes* Wesentliches beigetragen. Dennoch stellte er sich bald gegen die in der modernen Physik immer größere Bedeutung gewinnende Quantentheorie und gegen die Relativitätstheorie.*
Auf der Versammlung der Deutschen Naturforscher und Ärzte in Bad Nauheim 1920 kam es bei der allgemeinen Diskussion über die Allgemeine Relativitätstheorie zu einem dramatischen Zweikampf zwischen Einstein und Lenard; dieser richtete »scharfe, bösartige Angriffe gegen Einstein, mit unverhüllt antisemitischer Tendenz«. Die tiefere Ursache der Unzufriedenheit Lenards – die sich in oft ungewöhnlicher Agressivität äußerte – wird darin zu suchen sein, daß in der Physik mathematisch schwierige Theorien eine ausschlaggebende Rolle gewannen und er, dessen Stärke das Experiment war, hier nicht folgen konnte und wollte. Lenards Antisemitismus verband sich mit der Abneigung gegen die neueren physikalischen Theorien und er stellte der dogmatischen »jüdischen Physik« eine pragmatische »Deutsche Physik« gegenüber, bei der die Experimente absoluten Vorrang haben sollten. Darin trat nur Johannes Stark an die Seite Lenards; ihre Bestrebungen blieben trotz der zeitweisen Unterstützung durch das Dritte Reich gänzlich unfruchtbar. Von den deutschen Fachkollegen wurden die beiden Nobelpreisträger nicht ernst genommen, und es wurde nur bedauert, daß sie ihr durch den Nobelpreis erworbenes Ansehen damit aufs Spiel setzten.
Lenard hat so in seinem Leben auch schwere Schuld auf sich geladen. Carl Ramsauer, der über 13 Jahre Lenards Schüler und Mitarbeiter gewesen war, kommt zu dem Urteil, daß Lenard trotz allem unser Mitgefühl verdient: »Lenard war eine tragische Persönlichkeit, ein Mann, eigenartig in seinen Mängeln und in seinen Vorzügen, aber ohne jeden Zweifel ein großer Wahrheitssucher und Forscher im tiefsten Sinne des Wortes. Als Wissenschaftler hat er Grundlegendes geleistet, und doch ist sein Name mit keinem Markstein der physikalischen Entwicklung eng und dauernd verbunden. Als Lehrer hat er sich durch sein großes Wissen, Können und Planen immer wieder für seine Schüler eingesetzt, und doch ist es ihm nicht gelungen, im eigentlichen Sinn eine Schule zu begründen. Als Mensch hat er das Beste gewollt und ist doch einem Trugbild nachgelaufen.«

Karl Ferdinand Braun   1909

Karl Ferdinand Braun

Als 1889 der Münchener Ingenieur Heinrich Huber an den Entdecker der elektrischen Wellen, Heinrich Hertz*, die Anfrage richtete, ob sich wohl die elektrischen Wellen würden zur Telegraphie verwenden lassen, verneinte Hertz entschieden diese Möglichkeit. Dennoch kam es schon bald an verschiedenen Stellen zu entsprechenden Versuchen, besonders erfolgreich experimentierte dabei der geniale Autodidakt Guglielmo Marconi*.

Im Jahre 1897 kam auch Karl Ferdinand Braun*, der als Professor der Physik in Straßburg wirkte, in Verbindung mit der drahtlosen Telegraphie. Schon im September 1898 gelang Braun die Entwicklung des »Braunschen Senders«, der nicht einfach eine Verbesserung der Anordnung von Marconi, sondern »ein neues Prinzip« verwirklichte. Die Schwingungen werden in einem Schwingkreis erzeugt und über einen induktiv angekoppelten Antennenkreis abgestrahlt. Dadurch wurde die Sendeleistung erheblich gesteigert und zeitlich gleichmäßiger verteilt. Anstelle des recht unzuverlässigen Kohärers führte Braun ebenso schon 1899 den Kristalldetektor (einen Vorläufer der heutigen Transistoren) ein; dieser Kristalldetektor konnte ab 1901 seine Nützlichkeit beweisen, als man vom Schreib- zum Hörempfang überging.

1899 wurde die »Professor Brauns Telegraphen GmbH« gegründet, in die Braun seine zahlreichen Erfindungen einbrachte. Im Verlauf der teilweise recht heftigen Auseinandersetzungen mit der Marconi-Gesellschaft und mit Professor Adolf Slaby* kam es zur Verschmelzung der bisher konkurrierenden beiden deutschen Firmen und zur Gründung der noch heute als Tochter der AEG wirkenden »Telefunken-Gesellschaft«.

Auch auf anderen Gebieten hat Ferdinand Braun die technische Anwendung physikalischer Erkenntnisse erschlossen. Seine schon 1897 erfundene »Braunsche Röhre« bildete eine glänzende Möglichkeit, den zeitlichen Verlauf elektrischer Spannungen optisch sichtbar zu machen. Später wurde die »Braunsche Röhre« die Grundlage der Fernsehtechnik, so wie es der »Braunsche Sender« für Funkwesen und Radiotechnik geworden war.

Die großen Erfolge blieben ohne Eindruck auf den schlichten, anspruchslosen Mann. Jonathan Zenneck* stellte fest, daß Ferdinand Braun »ein idealer Chef« gewesen war: »Alles Bonzenhafte sowohl in der Form bonzenhafter Einbildung als bonzenhaften Wohlwollens lag ihm durchaus fern ... Es geschah gelegentlich, daß Braun, wenn er morgens mit einem von uns etwas zu besprechen hatte, in das Schlafzimmer kam, sich ans Bett setzte und dort die Sache besprach. Trotz allem Schwerem, was er erlebt hat, hat ihn sein Humor nie verlassen. Seine witzigen Bemerkungen, sowohl in der Vorlesung als in der Unterhaltung, wirkten um so mehr, als man ihm die eigene Freude darüber anmerkte.«

Abbildung aus der ersten Veröffentlichung über die »Braunsche Röhre« vom Jahre 1897

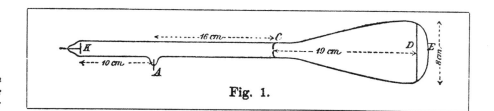

Fig. 1.

Philipp Lenard   1905

Wilhelm Wien   1911

Johannes Stark   1919

Wilhelm Wien

»Es gibt wohl nur ganz wenige Physiker, welche die experimentelle und die theoretische Seite ihrer Wissenschaft so gleichmäßig beherrschen, wie es Willy Wien getan hat, und es wird in Zukunft immer seltener vorkommen, daß ein und derselbe Forscher so verschiedenartige Entdeckungen macht wie die des Verschiebungsgesetzes der Wärmestrahlung und die der Natur der Kanalstrahlen.« So urteilte Max Planck über Wilhelm Wien*, der ihm bei der Begründung der Strahlungsformel viele Vorarbeit abgenommen hatte.

Seit Gustav Kirchhoff* auf die Existenz einer – von den Eigenschaften bestimmter Körper unabhängigen – »schwarzen Strahlung« hingewiesen hatte, spielte diese in der physikalischen Diskussion eine besondere Rolle. Es gelang Wilhelm Wien 1894, das »Wiensche Verschiebungsgesetz« abzuleiten, welches eine wichtige Eigenschaft der schwarzen Strahlung ausdrückte. Das Wiensche Verschiebungsgesetz war, wie sich später herausstellte, die am weitesten gehende Folgerung, die überhaupt aus der klassischen Physik zu gewinnen war und die zugleich mit der Wirklichkeit übereinstimmte. Von diesem »Gipfel der klassischen Physik« aus konnte dann Max Planck im Jahre 1900 zu seiner berühmten Strahlungsformel vordringen, bei der er erstmalig vom Quantenkonzept* Gebrauch machte.

In Berlin war Wilhelm Wien auch führend an den Messungen über die Eigenschaften der schwarzen Strahlung beteiligt gewesen. Als er 1896 aus Berlin wegberufen wurde, war er genötigt, sich eine andere Arbeitsrichtung zu suchen. Mit Erfolg experimentierte er nun mit Kathoden- und Kanalstrahlen* und entwickelte in der Analyse bald unbestrittene Meisterschaft. So bewies er einwandfrei, daß die Kathodenstrahlen aus negativ-elektrisch geladenen Partikeln bestehen, für die sich bald der Name »Elektronen« einbürgerte. Auf diesem Gebiet gingen die Arbeiten von Joseph John Thomson*, Philipp Lenard und Wilhelm Wien vielfach parallel und stützten einander gegenseitig.

Seit 1900 wirkte Willy Wien für zwanzig Jahre in Würzburg und diese Zeit bezeichnete er später als die glücklichste seines Lebens: »... Im Würzburger Institut entwickelte sich allmählich ein reges wissenschaftliches Leben. An der kleinen Universität waren nicht viele deutsche Studenten der Physik. Aber es kamen viele Ausländer in mein Laboratorium ... Meine eigenen Arbeiten ergaben die ersten Energiemessungen der Röntgenstrahlen und eine daraus abgeleitete Bestimmung der Wellenlänge, ferner die Umladung der Kanalstrahlionen und die Messungen der freien Weglänge der die Umladung bewirkenden Zusammenstöße. Im Jahre 1911 erhielt ich den Nobelpreis für meine Arbeiten über die Wärmestrahlung. An die wundervollen Feierlichkeiten in Stockholm denke ich noch mit Genuß zurück ...«

1920 folgte Wilhelm Wien einem Rufe nach München. Auch in diese Stellung wurde er als Nachfolger Röntgens berufen, der seit seiner Entdeckung der »neuen Art von Strahlen« legendären Ruf genossen hatte, was die hohe Wertschätzung zeigt, die man dem Forscher und Menschen Wilhelm Wien entgegenbrachte.

Schriftprobe Wiens aus einem Brief an Stark vom 9. 12. 1913

Max von Laue   1914

Max von Laue

In einer Diskussion mit Peter Paul Ewald* – damals Doktorand Sommerfelds* am Institut für theoretische Physik der Universität München – sprach im Februar 1912 der junge Privatdozent Max von Laue* wie nebenbei den Gedanken aus, daß man doch eigentlich einmal Röntgenstrahlen durch Kristalle senden sollte: Wenn das wirklich stimme, daß Röntgenstrahlen kurze elektromagnetische Wellen – also dem Licht verwandt – seien und wenn weiterhin stimme, daß die Kristalle regelmäßig aus den Atombausteinen aufgebaut seien, dann müsse man doch eigentlich einen Interferenzeffekt* erwarten können. Es müsse dann ein Kristall für Röntgenlicht dasselbe sein, wie ein Beugungsgitter für gewöhnliches Licht, und da hatte man ja schon seit Joseph von Fraunhofer* die Interferenzerscheinungen beobachtet. Hinter einem Beugungsgitter wechselt in charakteristischer Weise Hell und Dunkel: Licht zu Licht gefügt kann Dunkelheit ergeben – dafür tritt dann Verstärkung der Intensität in anderen Richtungen auf.

Diese Gedanken verbreiteten sich schnell unter den jüngeren Physikern Münchens, die sich regelmäßig nach Tisch im Café Lutz trafen, und schließlich begannen Walther Friedrich und Paul Knipping am 21. April 1912 die Versuche. Die Durchstrahlung eines Kupfersulfatkristalles lieferte auf einer hinter dem Kristall aufgestellten photographischen Platte regelmäßig angeordnete Schwärzungspunkte: das erste der heute sogenannten Laue-Diagramme. Am 4. Mai 1912 konnten von Laue, Friedrich und Knipping in einem Brief an die Bayerische Akademie der Wissenschaften ihren Erfolg mitteilen.

»Tief in Gedanken«, schrieb Max von Laue, »ging ich durch die Leopoldstraße nach Haus, als mir Friedrich diese Aufnahme gezeigt hatte. Und schon nahe meiner Wohnung, Bismarckstraße 22, vor dem Hause Siegfriedstraße 10, kam mir der Gedanke für die mathematische Theorie der Erscheinung. Die auf Schwerd (1835) zurückgehende Theorie der Beugung am optischen Gitter hatte ich kurz zuvor für einen Artikel in der Enzyklopädie der mathematischen Wissenschaften neu zu formulieren

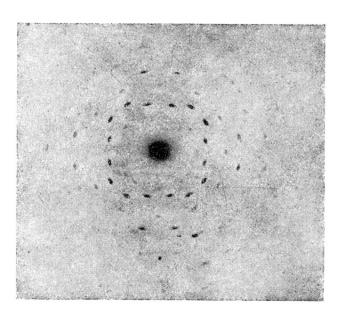

Laue-Diagramm: Zinkblende, senkrecht zur Würfelfläche durchstrahlt

gehabt, so daß sie, zweimal angewandt, auch die Theorie des Kreuzgitters mit umfaßte. Ich brauchte sie nur, den drei Perioden des Raumgitters entsprechend, dreimal hinzuschreiben, um die neue Entdeckung zu deuten. Insbesondere ließ sich der beobachtete Strahlenkranz sogleich in Beziehung zu den Kegeln setzen, welche jede der drei Interferenzbedingungen für sich allein bestimmt. Als ich ein paar Wochen später an einer anderen, übersichtlicheren Aufnahme diese Theorie quantitativ prüfen konnte und sie bestätigt fand, da war das für mich der entscheidende Tag ...«

Die Verleihung des Nobelpreises 1914 an Max von Laue bezeichnet die Bedeutung der Entdeckung, die Albert Einstein eine der schönsten in der Physik nannte. In der Folge konnte man sowohl durch Wellenlängenbestimmungen das Röntgenlicht selbst untersuchen, als auch die Struktur der durchstrahlten Materie studieren. Im wahrsten Sinne des Wortes begann man, in den Aufbau der Materie »hineinzuleuchten«. Die Strukturuntersuchung wurde zu einem bedeutenden Zweig von Physik und Chemie.

Heute sind etwa 4000 Wissenschaftler mit Strukturproblemen beschäftigt. Es ist gelungen, komplizierte Strukturen anorganischer und organischer Substanzen zu entschleiern. Bei der Eiweißkristallstrukturanalyse konnten John C. Kendrew* und Max Ferdinand Perutz* die Auflösung soweit treiben, daß die Anordnung der Aminosäuren erkannt wurde. 1962 erhielten Kendrew und Perutz dafür auch den Nobelpreis für Chemie. Eine faszinierende Anwendung fand die Methode in der Aufklärung der molekularen Struktur der Vererbungsträger (Desoxyribonukleinsäure), die es ermöglichte, den atomaren Mechanismus bei der Übertragung von Erbanlagen zu verstehen.

Max Planck* war, wie Heisenberg einmal schrieb, der »letzte große Vertreter der klassischen Epoche der Physik« und zugleich derjenige, der »alles Neue begonnen hat«: Gleichsam unter einem von der Naturgesetzlichkeit ausgeübten Zwange handelnd, sah sich Max Planck veranlaßt, von manchen bisher als selbstverständlich betrachteten Denkkategorien abzugehen.

Seit etwa 1895 suchte Max Planck nach dem Gesetz der »schwarzen« Wärmestrahlung, wo Wilhelm Wien schon wichtige Vorarbeit geleistet hatte. Im Mai 1899 stieß Planck dabei auf eine (von ihm bald mit h bezeichnete) fundamentale Naturkonstante. In mühevoller Arbeit, mit immer neuen Ansätzen, enthüllte sich die physikalische Bedeutung dieser Konstanten: Sie bedeutete nichts anderes als ein Maß für die Durchbrechung des von Newton* und Leibniz* stammenden Kontinuitätsprinzips und damit den Übergang zu einer »Physik der sprunghaften Veränderungen«, das heißt einer Quanten-Physik.

Der Geburtstag der Quantentheorie war der 14. Dezember 1900. In der berühmten Sitzung der Deutschen Physikalischen Gesellschaft* in Berlin sagte Planck: »Wir betrachten aber – und dies ist der wesentlichste Punkt der ganzen Berechnung – [die Energie eines Resonators] E als zusammengesetzt aus einer ganz bestimmten Anzahl endlicher gleicher Teile und bedienen uns dazu der Naturkonstanten $h = 6,55 \cdot 10^{-27}$ erg · sec. Diese Konstante mit der gemeinsamen Schwingungszahl ν der Resonatoren multipliziert ergibt das Energieelement ε in erg ...«

Max Planck

Max Planck   1918

In der Planckschen Formel $\varepsilon = h \cdot \nu$ für die Energiestufen des Hertzschen Oszillators ist der radikale Bruch mit der wissenschaftlichen Tradition ausgedrückt. Dieser Bruch ist dem konservativen Planck persönlich sehr schwer gefallen: »Kurz zusammengefaßt kann ich die ganze Tat als einen Akt der Verzweiflung bezeichnen«, schrieb Planck später.

Als Albert Einstein im Jahre 1905 den Planckschen Quantenansatz zur Hypothese der Lichtquanten erweiterte, wollte ihm dabei Planck nicht folgen; stattdessen suchte er nach einem Wege, das Neue mit der klassischen Physik wieder in Einklang zu bringen: »Meine vergeblichen Versuche, das Wirkungsquantum irgendwie der klassischen Theorie einzugliedern, erstreckten sich auf eine Reihe von Jahren und kosteten mich viel Arbeit. Manche Fachgenossen haben darin eine Art Tragik erblickt. Ich bin darüber anderer Meinung . . .«

Max Planck blieb gegenüber der Einsteinschen Lichtquantenhypothese noch lange skeptisch eingestellt. Die Tragweite der Speziellen Relativitätstheorie*, die Einstein im gleichen Jahre 1905 wie die Lichtquantenhypothese veröffentlicht hatte, erkannte er aber sofort. Die wohl erste Reaktion auf die diesbezügliche Arbeit Einsteins war das Referat Plancks im Berliner Physikalischen Kolloquium zu Anfang des Wintersemesters 1905/06.

In vielen Vorträgen und Publikationen warb Planck um Verständnis für die Relativitätstheorie. Als Walter Kaufmann* aus seinen Messungen über die Ablenkung von Kanalstrahlen in parallelen elektrischen und magnetischen Feldern eine Widerlegung der Einsteinschen Theorie herauslesen wollte, mahnte Planck zur Vorsicht gegenüber einer allzuschnellen Interpretation der Experimente. Zweifellos war es Planck, der in den Jahren 1906 bis 1909 den Ausschlag dafür gab, daß sich die Relativitätstheorie so rasch durchsetzen konnte. Stationen auf diesem Wege waren Sommerfelds* Zustimmung 1907 und vor allem der Vortrag Minkowskis* auf der Kölner Naturforscherversammlung 1908 über »Raum und Zeit«.

Durch seine wissenschaftlichen Leistungen ebenso wie durch seinen geraden, unbeugsamen Charakter und die Vornehmheit in Gesinnung und Handeln erwarb sich Max Planck eine einzigartige Stellung unter den Physikern Deutschlands. Er konnte die 1933 über Deutschland hereinbrechende Herrschaft des Unrechts nicht verhindern, aber er ergriff unerschrocken das Wort zur Ehrenrettung der jüdischen Gelehrten. In der Preußischen Akademie würdigte er ausdrücklich die Verdienste des aus seinem Amte entlassenen Einstein und im Januar 1935 besaß er den Mut, trotz Verbotes eine Trauerfeier für den vertriebenen und im Ausland verstorbenen Fritz Haber durchzuführen.

Wie in der Wissenschaft mußte auch in der Politik Max Planck sein Denken auf Grund bisher unvorstellbarer Geschehnisse umgestalten: Unbedingte Loyalität dem Staate gegenüber war für ihn, der in der preußischen Tradition aufgewachsen war, eine Selbstverständlichkeit gewesen. Der Mißbrauch der Staatsmacht zwang ihn, auch hier seine bisherigen Denkkategorien aufzugeben und neue Maßstäbe zu gewinnen. Den Gegensatz der Überlieferungen des 19. Jahrhunderts zu den Ereignissen der neuen Zeit hat er in der Politik wohl noch quälender erfahren als in der Wissenschaft.

Darstellung der Elektronenübergänge in der Bohr-Sommerfeldschen Atomtheorie. Aus einem Brief Plancks an Arnold Sommerfeld vom 7. 5. 1916

Johannes Stark

In dem für die Physik denkwürdigen Jahr 1905 – in dem Albert Einstein seine berühmt gewordenen drei Arbeiten publizierte – gelang dem damals dreißigjährigen Johannes Stark* die Entdeckung des optischen Doppler-Effektes* an·Kanalstrahlen*. Um neue Aufschlüsse über den bis dahin unverstanden gebliebenen Aufbau der Atome zu gewinnen, beobachtete Stark als Professor in Aachen die Lichtaussendung von Atomen, die einem elektrischen Felde ausgesetzt waren. 1913 gelang ihm der Nachweis einer Aufspaltung der Spektrallinien, die Entdeckung des Stark-Effektes: »Bald nachdem der Unterricht im Oktober begonnen hatte, setzte ich eines Nachmittags meine Aufnahme an Kanalstrahlen in einer Mischung von Wasserstoff und Helium in Gang ... Um sechs Uhr unterbrach ich die Belichtung und begab mich, ganz allein im Institut, zur Entwicklung meiner Aufnahme in die Dunkelkammer ... Ich gewahrte an der Stelle der blauen Wasserstofflinie mehrere Linien, während die benachbarten Heliumlinien einfach erschienen. Nun wußte ich bereits, daß ich den neuen Effekt entdeckt hatte ... Unser im Mai geborenes Töchterchen schlief bereits und ahnte nichts von dem Glück seiner Eltern. Zur Erinnerung an die Analyse, die mir mit meiner Entdeckung gelungen war, wurde sie Anneliese getauft.« Es war ein wunderbares Zusammentreffen, daß im gleichen Jahr 1913 Niels Bohr* sein quantenmechanisches Atommodell* entwickelt hatte. Dieses Modell wurde durch die mathematische Ausgestaltung, die Arnold Sommerfeld* leistete, zu einer wirklichen Theorie, die auch in der Lage war, den Stark-Effekt zu erklären, während die klassische Physik völlig versagte. Das hätte für Stark eine doppelte Genugtuung sein können, denn er hatte seit 1907 immer wieder auf die »fundamentale Bedeutung« des Quantengesetzes hingewiesen, und er hatte zweitens durch die Entdeckung seines Effektes eine wesentliche experimentelle Stütze der neuen Quantentheorie beigebracht. Die Befriedigung durch die von ihm durchgeführten Experimente eine Theorie bestätigt zu sehen, an deren Entstehung er zwar nicht unmittelbar beteiligt war, an deren geistiger Vorbereitung er jedoch beachtlichen Anteil hatte, raubte sich Stark selbst in unbegreiflicher Weise. Als die Bohrsche Theorie in den Jahren 1914 bis 1917 immer mehr Anhänger fand, stemmte sich Stark mit seinem Widerspruch gegen die unaufhaltsame Entwicklung.

Aus einem Brief Starks an Arnold Sommerfeld vom 7. 3. 1906

Albert Einstein   1921

Bern 22. II. 08.

Hochgeehrter Herr Professor!

[handwritten letter by Einstein]

Brief Einsteins an Stark vom 22. 2. 1908

Albert Einstein

Im Jahre 1905 veröffentlichte der 26jährige Albert Einstein*, als »technischer Experte III. Klasse« beim Patentamt in Bern angestellt, im Band 17 der »Annalen der Physik« drei Abhandlungen, deren jede geeignet war, dem Verfasser unsterblichen Ruhm zu verschaffen. Der Einfluß dieser Arbeiten war nicht nur auf die Naturwissenschaft, sondern auf das gesamte menschliche Denken ungeheuer.

In seiner »Theorie der Brownschen Bewegung« gab er auf rein klassischer Grundlage einen direkten und abschließenden Beweis für die atomistische Struktur der Materie.

In der Abhandlung »Zur Elektrodynamik bewegter Körper« begründete Einstein mit einer tiefschürfenden Analyse der Begriffe Raum und Zeit die Spezielle Relativitätstheorie*. Aus dieser zog er wenige Monate später den Schluß auf die allgemeine Äquivalenz von Masse und Energie, die berühmte Formel $E = mc^2$.

In dem dritten der Aufsätze von 1905, betitelt »Über einen die Erzeugung und Verwandlung des Lichtes betreffenden heuristischen Gesichtspunkt« erweiterte er den kühnen Quantenansatz von Planck (1900) zur Hypothese der Lichtquanten. Das war der entscheidende zweite Schritt in der Entwicklung der Quantentheorie. Einstein drückte darin klar aus, daß im Grenzfall niedriger Temperaturen und kleiner Wellenlängen nicht die übliche Wellentheorie des Lichtes, sondern die Vorstellung von unabhängigen Lichtquanten angemessen ist. Damit wurde implizit schon die Dualität Welle-Teilchen formuliert.

Die Lichtquantenvorstellung Einsteins wurde von den Fachkollegen der Zeit als der radikalste Versuch angesehen, die Gesetze der schwarzen Strahlung abzuleiten, und fand zunächst eine sehr skeptische Aufnahme. Es dauerte mehr als ein Jahrzehnt, bis diese Gedanken voll verstanden und gewürdigt werden konnten.

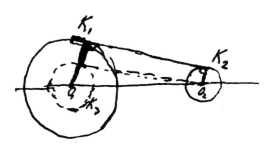

The radius of K_3 is the difference $r_3 = r_1 - r_2$.

The tangent $O_2 \rightarrow K_3$ is ∥ to the tangent on K_1 and K_2 and can be easily constructed. This gives the solution.

A. E.

In den Jahren 1914/15 begründete Albert Einstein, ausgehend von der strengen Proportionalität von schwerer und träger Masse, die Allgemeine Relativitätstheorie*. Diese ist das vielleicht Höchste und Bewunderungswürdigste, was einem einzelnen Menschen zu schaffen je vergönnt war.

Durch den Erfolg der britischen Sonnenfinsternisexpedition 1919 gewann Einstein große Publizität. Im innerlich zerrissenen Deutschland der Zeit nach dem Ersten Weltkrieg führte das zu scharfen Angriffen seiner politischen Gegner, die in der wissenschaftlichen Welt und in der Öffentlichkeit eine Kampagne gegen die Relativitätstheorie zu eröffnen versuchten. Wissenschaftliches Gewicht gewannen die Angriffe gegen Einstein aber nicht, die Spezielle und Allgemeine Relativitätstheorie war ein fester Bestandteil der Wissenschaft geworden. Das Nobelkomitee hielt es dennoch für geraten, die Verleihung des Nobelpreises für Physik des Jahres 1921 an Albert Einstein nicht für die Aufstellung der Relativitätstheorie zu vergeben, sondern für seine Beiträge zur Quantentheorie.

Einstein hat ab 1920 versucht, eine »einheitliche Theorie der Materie« aufzustellen, die neben der Gravitation auch die Elektrodynamik umfassen sollte. Diese Bemühungen waren, wie wir heute wissen, verfrüht und mußten vergeblich bleiben.

Einstein gehört sowohl durch seine wissenschaftlichen Leistungen wie durch seine Persönlichkeit zu den verehrungswürdigsten Gestalten unseres Jahrhunderts. In der hingebenden Beschäftigung mit den Gesetzen der Natur fand er »innere Freiheit und Sicherheit«: »Der Weg zu diesem Paradies«, so sagte Einstein in seiner Autobiographie, »war nicht so bequem und lockend wie der Weg zum religiösen Paradies; aber er hat sich als zuverlässig erwiesen und ich habe nicht bedauert, ihn gewählt zu haben.«

James Franck

Da ein Atom kein Ding ist, das man im landläufigen Sinne »sehen« kann, muß man, um etwas über seine Konstitution zu erfahren, womöglich noch kleinere Gegenstände zum »Abtasten« verwenden. Schon Philipp Lenard hatte erkannt, daß die Wechselwirkung der Kathodenstrahlen*, das heißt also der Elektronen, mit den Atomen in hervorragendem Maße geeignet ist, die gesuchten Aufschlüsse zu gewähren.

So enthüllten die Experimente mit den subatomaren Elektronen, die James Franck* und Gustav Hertz seit 1911 durchführten, wichtige Eigenschaften der Atome. In der mit Quecksilberdampf gefüllten Röhre (Triode) werden die Elektronen durch ein veränderlich elektrisches Feld beschleunigt. Bei kleinen Energien treten nur elastische Streuungen auf, bei denen von den Elektronen praktisch keine Energie an die Stoßpartner abgegeben wird. Steigert man aber die angelegte Spannung bis auf 4,9 Volt, kommt es zu unelastischen Stößen und die Elektronen verlieren fast ihre gesamte Bewegungsenergie. Das macht sich in einem plötzlichen Stromabfall in der Elektronenröhre bemerkbar.

Als James Franck und Gustav Hertz ihre Arbeit 1914 veröffentlichten, waren sie noch der irrigen Meinung, es handle sich bei den gemessenen 4,9 Elektronenvolt um die Ionisierungsspannung des Quecksilbers: »Es ist wieder ein Zeichen dafür, wie fremdartig die uns heute so geläufige Auffassung Bohrs von den stationären Zuständen den Physikern der damaligen Zeit erschien, daß wir nicht auf den Gedanken kamen, sie auf das Quecksilberspektrum und auf unsere Messungen anzuwenden.«

Erst Niels Bohr* erkannte die Bedeutung der Experimente für sein seit 1913 entwickeltes Atommodell. Franck und Hertz bauten nun ihre Methode zu einer glänzenden Bestätigung der Bohr-Sommerfeldschen Atomtheorie* weiter aus: »Es war so, als wenn ein Forscher ein unbekanntes Land erforschen wollte und bemerkte, daß er, ohne es zu wissen, bereits eine vollständige Karte dieses Landes in den Händen hatte. Diese Karte ist in unserem Falle das Termschema und ihr Maßstab ist durch das Plancksche Wirkungsquantum gegeben.«

Brief Francks an Stark vom 30. 12. 1911

James Franck, der durch seine in Gemeinschaft mit Gustav Hertz angestellten Versuche rasch bekanntgeworden war, wurde 1921 auf Drängen von Max Born gleichzeitig mit Born nach Göttingen berufen. Franck hat durch seine experimentellen Arbeiten wie durch seine Fähigkeit, »physikalische Sachverhalte rein gefühlsmäßig zu beurteilen«, wesentlich zum raschen Ausbau der Quantentheorie beigetragen. In der Zusammenarbeit von Born und Franck – und ihrer zahlreichen Mitarbeiter und Schüler – entwickelte sich Göttingen zum »Mekka der Atomphysik«. Diese Zusammenarbeit bestand, wie Born beschrieb, »in täglichen Gesprächen über die in Francks Institut geplanten oder durchgeführten Experimente und über die Spekulationen, in denen wir Theoretiker uns ergingen. Niemals gab es eine ernsthafte Reibung, obwohl das sicher von beiden Seiten eine gewisse Selbstkontrolle forderte. Denn oft erzählte der eine dem andern eine physikalische Idee und erhielt statt der erwarteten kritischen Betrachtung die Antwort: ›Aber das habe ich Dir doch vor vierzehn Tagen selber gesagt, und Du hast blöde darauf reagiert.‹«

Im Jahre 1933 wollten die neuen Machthaber den weltberühmten jüdischen Forscher nicht verlieren und ihm die Weiterarbeit ermöglichen. Einen Kompromiß mit dem »Dritten Reich« konnte aber Franck mit seinem Gewissen nicht vereinbaren; er nahm freiwillig die Emigration auf sich, obwohl ihm der Abschied von seinem Lehramt und seiner deutschen Heimat sehr schwer gefallen ist. Er ging in die Vereinigten Staaten, wo er 1938 zum Professor für physikalische Chemie an der Universität Chicago ernannt wurde. Hier beschäftigte er sich mit der Photosynthese*, einem Problem, das ihn zeitlebens nicht mehr losgelassen hat. Es war schmerzlich für Franck, daß es ihm hier nicht gelang, mit seiner Auffassung die wissenschaftlichen Gegner, an der Spitze Otto Heinrich Warburg, endgültig zu überzeugen.

Im Krieg beteiligte sich Franck an der technischen Nutzbarmachung der Kernenergie im ersten Atomreaktor in Chicago. Er warnte im Juni 1945 in dem berühmten, von sieben führenden Forschern unterzeichneten »Franck-Report« leidenschaftlich vor dem Abwurf der Atombombe über Japan. Seine Stimme wurde nicht gehört.

In Amerika fand James Franck seine neue Heimat, aber das Schicksal hat es gefügt, daß ihn, 82jährig, der Tod auf einer Besuchsreise in Göttingen ereilte, wo er die glänzendste Zeit seines Schaffens erlebt hatte.

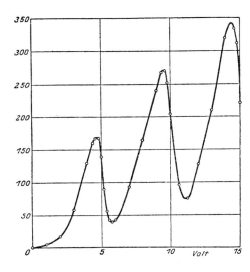

*Elektronenstromkurve
in Quecksilberdampf:
aus den berühmt gewordenen
Versuchen von Franck und Hertz*

James Franck   1925

Gustav Hertz   1925

Die mit James Franck gemeinsam durchgeführten Versuche über die Anregung von Atomen durch Elektronenstoß – die Hertz* wie Franck den Nobelpreis eingebracht hatten – waren durch den Kriegsausbruch 1914 jäh unterbrochen worden. Gustav Hertz wurde 1915 schwer verwundet; bald aber konnte er in Berlin seine Arbeiten fortsetzen. Um extrem reine Gase zur Verfügung zu haben, entwickelte Hertz Methoden zur Trennung von Gasen, hauptsächlich mittels Diffusion*.

Als sich in den zwanziger Jahren die theoretischen und experimentellen Kenntnisse über den Aufbau der Atome immer mehr vertieften, richtete sich das Interesse der Physiker auf die Hyperfeinstruktur der Spektrallinien, die durch kleine Differenzen in den Eigenschaften der Atomkerne hervorgerufen wird. Hertz entwickelte nun seine »Gastrennungsmethode« zur »Isotopentrennung« weiter. Das Verfahren ermöglicht es, chemisch gleichartige Atome, die sich nur geringfügig in der Masse unterscheiden, voneinander zu trennen.

An der Technischen Hochschule Berlin-Charlottenburg entfaltete Gustav Hertz seit 1927 eine glänzende Lehr- und Forschungstätigkeit. Später übernahm Hertz die Leitung des Forschungslaboratoriums der Firma Siemens in Berlin. Hier kamen unter großzügigen Arbeitsbedingungen erneut zahlreiche bedeutende technisch-physikalische Arbeiten zustande; so entwickelte unter seiner Leitung sein Schüler Erwin Wilhelm Müller den Grundgedanken des Feldelektronenmikroskops.

Als nach der Entdeckung der Kernspaltung durch Otto Hahn die Möglichkeit einer Kettenreaktion in U 235* erkannt wurde, gewann die Hertzsche Isotopentrennung ungeahnte technische Bedeutung. Hertz ging nach dem Kriege in die Sowjetunion, wo er mit einigen früheren Schülern und Mitarbeitern ein neues großes Institut bei Suchumi am Schwarzen Meer aufbaute. Hier entwickelte er seine Isotopentrennung vom Laboratoriumsmaßstab in großtechnische Dimensionen weiter.

Mit 67 Jahren übernahm Hertz nach seiner Rückkehr nach Deutschland nochmals während einer wichtigen Zeit des Aufbaues die Leitung eines Universitätsinstituts in Leipzig und lebte dann bis zuletzt als einziger Nobelpreisträger in der DDR in Berlin-Köpenick.

Gustav Hertz

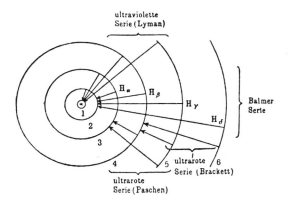

Aus dem Nobelvortrag von Hertz: das durch die Experimente von Franck und Hertz glänzend bestätigte Bohrsche Atommodell

Werner Heisenberg

»Heisenberg habe ich sehr lieb gewonnen; er ist bei uns allen sehr beliebt und geschätzt. Seine Begabung ist unerhört, aber besonders erfreulich ist sein nettes, bescheidenes Wesen, seine gute Laune, sein Eifer und seine Begeisterung.« Max Born, der sich mit solchen Worten an den »Doktorvater« Heisenbergs* gewandt hatte – das war Arnold Sommerfeld* in München – gelang es, das »Wunderkind« zu sich nach Göttingen als Assistenten zu holen.

Die ungelösten Probleme der Atomstruktur waren es, die den jungen Heisenberg gewaltig bewegten. Nachdem offenkundig geworden war, daß das Bohrsche Atommodell trotz großer Erfolge nicht richtig sein konnte, mühte er sich um den »Übergang von der nur symbolisch brauchbaren und daher nur qualitativ richtigen Modellmechanik . . . zur wirklichen Quantenmechanik«.

Im Juni 1925 zwang ein heftiger Heuschnupfen Heisenberg zur überstürzten Abreise von Göttingen; er suchte auf Helgoland Erholung. Hier nahmen seine Gedanken über die Quantenmechanik* greifbare Gestalt an: »In Helgoland war ein Augenblick, in dem es mir wie eine Erleuchtung kam, als ich sah, daß die Energie zeitlich konstant war. Es war ziemlich spät in der Nacht. Ich rechnete es mühsam aus, und es stimmte. Da bin ich auf einen Felsen gestiegen und habe den Sonnenaufgang gesehen und war glücklich.«

In den folgenden Wochen verfaßte Heisenberg die entscheidende Arbeit »Über quantentheoretische Umdeutung kinematischer und mechanischer Beziehungen«. Hier formulierte er sein berühmt gewordenes positivistisches Prinzip, daß zur Beschreibung physikalischer Sachverhalte nur »prinzipiell beobachtbare« Größen herangezogen werden dürfen und daß deshalb in der neuen Atomphysik für die bisher gebrauchten Begriffe wie »Bahn des Elektrons im Atom« oder »Umlaufzeit des Elektrons« kein Platz mehr ist. Gleichzeitig lieferte Heisenberg in seinen »Multiplikationsregeln für quadratische Schemata« den langgesuchten Ansatz für die neue Quantenmechanik, die nun von Max Born unter Mitwirkung von Jordan* und Heisenberg als »Göttinger Matrizenmechanik« aufgebaut werden konnte.

In enger Zusammenarbeit mit Niels Bohr gelang es Heisenberg, den tieferen »physikalischen« – oder »philosophischen« – Hintergrund des neuen Formalismus zu zeigen. Die »Heisenbergsche Unschärferelation«* von 1927 wurde die Grundlage der »Kopenhagener Deutung« der Quantentheorie*, die eine ganz neuartige Auffassung der physikalischen Realität beinhaltet. Welle und Korpuskel erscheinen als zwei verschiedene Aspekte desselben Dinges und an die Stelle des Determinismus der klassischen Physik treten statistische Gesetze.

$$i \sigma^r \frac{\partial \chi}{\partial x^r} + \sigma^r \chi (\chi^* \sigma_r \chi) = 0$$

Weltformel Heisenbergs in eigenhändiger Aufzeichnung

Werner Heisenberg   1932

erst ist die Bohrsche Strahlungstheorie doch eine sehr glückliche Beschreibung dieses Dualismus; ich bin auf den Ausgang des Bothe-Geigerschen Versuchs sehr gespannt.

Aus einem Brief Heisenbergs an Arnold Sommerfeld vom 18. 11. 1924:
Prinzipielle Stellungnahme zum Quantenproblem, wenige Monate vor der
endgültigen Formulierung der Theorie durch Heisenberg, Born und Jordan

Nachdem so das Problem des Atombaues – was die Atomhülle betraf – erfolgreich gelöst war, widmete sich Heisenberg Fragen des Atomkernes. Nach der Entdeckung des Neutrons* durch James Chadwick* 1932 erkannte Heisenberg, daß dieses neue Teilchen neben dem Proton* als Baustein des Atomkernes zu betrachten ist und entwickelte auf dieser Grundlage eine Theorie über den Aufbau der Atomkerne.

Schon 1927, mit 26 Jahren, war Heisenberg Ordinarius für theoretische Physik an der Universität Leipzig geworden. Seine Berufung nach München als Nachfolger Sommerfelds* scheiterte, weil er kein Parteigänger des Dritten Reiches war. Das gegen Heisenberg eingeleitete Kesseltreiben hörte erst mit Beginn des Zweiten Weltkrieges auf, als seine Fachkenntnisse dringend benötigt wurden. Im deutschen »Uran-Projekt« hat er es verhindern können, den Auftrag zur Entwicklung einer Atombombe zu erhalten. Ihm schauderte bei dem Gedanken, Hitler eine Atombombe in die Hand geben zu sollen. Die Ignoranz der Machthaber und die angespannte Kriegswirtschaft kamen ihm zu Hilfe.

Anders war es für Heisenberg mit dem Atomreaktor. Er hat es als ein Versagen der deutschen Wissenschaft angesehen, daß es 1945 nicht mehr gelungen ist, den kritischen Punkt der Neutronenvermehrung zu erreichen, bei dem die Kettenreaktion sich selbst unterhält. Die letzte Ursache für diesen Fehlschlag hat er zu Recht in dem Antagonismus zwischen Staat und Wissenschaft gesehen. So etwas sollte nach dem Willen Heisenbergs sich nie mehr wiederholen. Wissenschaftspolitisches Hauptziel beim Wiederaufbau Deutschlands wurde deshalb für ihn eine enge und vertrauensvolle Zusammenarbeit zwischen der Regierung und den führenden Gelehrten.

Sein letzter Wunsch ist nicht mehr in Erfüllung gegangen: Er wollte wissen, ob seine 1958 aufgestellte »Einheitliche Theorie der Elementarteilchen« wirklich, wie er so sehr hoffte, das Geschehen in der Welt des unendlich Kleinen beschreibt. Während die große Mehrheit der Physiker die Elementarteilchen als Zusammensetzung von noch »elementareren« Teilchen (etwa den »Quarks«) zu verstehen sucht, hielt Heisenberg das für »schlechte Philosophie und folglich schlechte Physik«.

Heisenberg war Platoniker: Wie es Plato zweieinhalb Jahrtausende zuvor gelehrt hatte, suchte Heisenberg die »Ideen« hinter den sinnlich wahrnehmbaren Gegebenheiten. Er abstrahierte von den real in der Natur vorkommenden Elementarteilchen auf die »Idee der Elementarteilchen«, und das sind die mathematischen Symmetrien. »Am Anfang war die Symmetrie«, sagte Heisenberg, »das ist sicher richtiger als die These ›Am Anfang war das Teilchen‹. Die Elementarteilchen verkörpern die Symmetrie; sie sind ihre einfachsten Darstellungen, aber sie sind erst eine Folge der Symmetrien.«

Als Schüler Max Plancks promovierte Walter Bothe* mit einer Dissertation über theoretische Optik und unter dem Einfluß von Hans Geiger* lernte er mit den Phänomenen der Radioaktivität experimentell umzugehen. Bothe entwickelte sich so zu einem theoretisch wie experimentell besonders gut vorgebildeten Kernphysiker.

In Zusammenarbeit mit Hans Geiger bildete Bothe die Methode der Koinzidenzen zu großer Vollendung aus. Nachweisgeräte, die den Durchgang eines Teilchens durch einen elektrischen Impuls anzeigten, wurden so zusammengeschaltet, daß gerade nur immer das gesuchte »Ereignis« gezählt wurde. Eine wichtige Anwendung fand die Methode bei der Analyse der Höhenstrahlung und bei der Prüfung des Compton-Effektes, wo eine Hypothese von Bohr*, Kramers* und Slater* über die nur statistische Gültigkeit von Energie- und Impulssatz im atomaren Bereich widerlegt werden konnte.

Bei der Kernreaktion zwischen Bor und α-Teilchen beobachtete Bothe zwei verschiedene Gruppen von Protonen, die eine Energiedifferenz von 3 MeV aufwiesen. 1930 fand er durch systematisches Suchen eine isotrope Gammastrahlung: Damit war die wichtige Entdeckung der Kernanregung geglückt. Wie in der Atomhülle gibt es auch für den Atomkern verschiedene Anregungsstufen und der Kern geht unter Aussendung elektromagnetischer Wellen (γ-Quanten) in einen energetisch niedrigeren Zustand über.

Bei der Wiederholung dieser Versuche benutzten Irène Curie* und Frédéric Joliot* andere Meßapparate und deuteten ihre Versuche zunächst falsch, was dann James Chadwick zur Entdeckung des Neutrons geführt hat. Die verbreitete Meinung, daß Bothe eine Neutronenstrahlung beobachtet, sie aber als Gammastrahlung gedeutet habe, entspricht also nicht den Tatsachen. Leider hat diese irrige Auffassung dazu beigetragen, daß Bothe erst 24 Jahre nach seiner wichtigen Entdeckung der künstlichen Kernanregung der Nobelpreis für Physik verliehen wurde.

»Ein Lebensbild von Walter Bothe wäre unvollständig«, betont Rudolf Fleischmann, der langjährige Assistent Bothes, »würde man nicht seine künstlerischen Neigungen und Interessen erwähnen ... Häufig wirkte er einsilbig und abweisend und hatte im Umgang mit Menschen oft eine unglückliche Art ... Wenn es gelang, ihn aus seiner Einsamkeit zu lösen, konnte er fröhlich und heiter werden.«

An den zahlreichen Ehrungen vermochte sich Bothe nicht mehr zu erfreuen. Ein schweres Kreislaufleiden warf ihn auf das Krankenlager, und statt seiner nahm seine Tochter 1954 in Stockholm den Nobelpreis in Empfang. Bis zu seinem Tode ist er um sein geliebtes Heidelberger Institut besorgt gewesen und hat es vom Bett aus bis zuletzt geleitet.

Walter Bothe

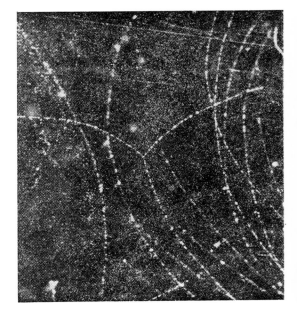

Stoß eines Positrons mit einem Elektron
Aus Bothes »Atlas typischer
Nebelkammerbilder«

Max Born   1954

Walter Bothe   1954

Das Schicksal selbst scheint den vielseitig begabten Max Born* dem Fach zugetrieben zu haben, in dem er später zum leuchtenden Stern am Himmel der Wissenschaft werden sollte: In Göttingen stellte ihm David Hilbert* als Thema der Dissertation ein zu schwieriges mathematisches Problem; sein Versuch, Experimentalphysiker zu werden, wurde durch eine selbstverschuldete Überschwemmung des Arbeitszimmers beendet. In der theoretischen Physik aber konnte er bald seine Meisterschaft beweisen: Nach einem von Albert Einstein 1907 gegebenen Ansatz begründete er 1912 mit Theodor von Kármán* die Quantentheorie der spezifischen Wärme. Die ebenfalls 1912 erfolgte Entdeckung der Röntgeninterferenzen durch Max von Laue lieferte dabei ein willkommenes (aber doch nur nachträgliches) Argument für die Berechtigung der Bornschen Methode.

Max Born unternahm es nun, eine einheitliche Kristallphysik auf atomistischer Grundlage aufzubauen. In seinem 1915 veröffentlichten Buch »Dynamik der Kristallgitter« und in seinem Artikel in der Mathematischen Enzyklopädie, der als selbständige Monographie unter dem Titel »Atomtheorie des festen Zustandes« 1923 erschien, wurde das Gebiet der Gitterdynamik in einheitlicher und klarer Weise zusammengefaßt und einer der Grundsteine für die Festkörperphysik gelegt. Mit der Berufung Borns auf den Lehrstuhl des Zweiten Physikalischen Instituts in Göttingen 1921 begann die glänzendste Epoche der Physik in Deutschland. Angeregt von den »Bohr-Festspielen« – einem großen Vortragszyklus von Niels Bohr* in Göttingen 1922 – beteiligte sich auch Max Born an der Suche nach einer neuen Atomtheorie; Ergebnisse seiner Kristallphysik hatten ihn schon länger überzeugt, daß das Bohrsche Atommodell* nur einen begrenzten Wert besitzt.

Max Born

Aus Borns Dissertation: Stabilitätsgrenzen für elastische Drähte und Bänder

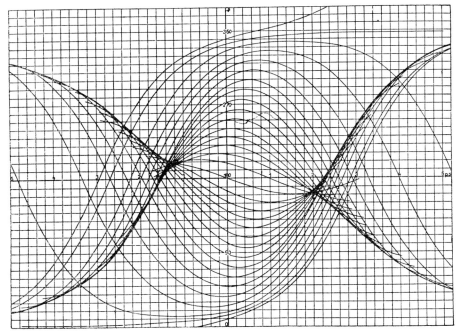

1925 formulierte Werner Heisenberg, der damals 24jährige Assistent Borns, einen Ansatz, an den anknüpfend in Zusammenarbeit mit Jordan* und Heisenberg Born die geschlossene mathematische Theorie der Quantenmechanik* entwickeln konnte. »Heisenbergs Multiplikationsregel ließ mir keine Ruhe, und nach acht Tagen intensiven Denkens und Probierens erinnerte ich mich plötzlich an eine algebraische Theorie, die ich von meinem Lehrer Professor Rosanes in Breslau gelernt hatte . . . Dies Resultat bewegte mich etwa wie einen Seefahrer, der nach langer Irrfahrt von fern das ersehnte Land sieht . . . Ich war vom ersten Augenblick an überzeugt, daß wir auf das Richtige gestoßen waren.«

Einen fundamentalen Beitrag zur physikalischen Interpretation dieses Kalküls und damit zum Verständnis der dem gewöhnlichen menschlichen Denken so eigenartige Schwierigkeiten bereitenden »Logik der Atome« lieferte Max Born 1926. Seine Vermutung, daß die neue Quantentheorie eine statistische Beschreibung der Natur beinhaltet, konnte er am Beispiel der Stoßvorgänge beweisen. Diese Leistung wurde verspätet 1954 durch die Verleihung des Nobelpreises gewürdigt. In einem Brief an Born urteilte Wolfgang Pauli*: »Ich bin gewiß, daß der statistische Charakter der Naturgesetze – auf dem Sie von Anfang an gegen Schrödingers* Widerstand bestanden haben – den Stil der Gesetze wenigstens für einige Jahrhunderte bestimmen wird.«

Eine gewaltige Anziehungskraft strahlte damals Göttingen aus; um Born versammelten sich die hervorragendsten Schüler und Mitarbeiter aus der ganzen Welt. Viele davon begründeten später selbst eigene wissenschaftliche Schulen oder kamen durch epochemachende Leistungen zu Weltruhm. Zum Göttinger Kreis um Born gehörten unter anderen: Max Delbrück, Maria Göppert-Mayer*, Werner Heisenberg, John von Neumann, J. Robert Oppenheimer*, Wolfgang Pauli, Edward Teller*, Victor F. Weißkopf und Eugen P. Wigner*.

1933 wurde Max Born in die Emigration gezwungen. Er ging nach Cambridge in England, dann nach Edinburgh, wo er besonders herzlich aufgenommen wurde. Nach seiner Emeritierung 1953 kehrte Max Born wieder nach Deutschland zurück und lebte bis zu seinem Tode zurückgezogen in Bad Pyrmont.

Max Born konnte auf ein gewaltiges Lebenswerk zurückblicken: Er verfaßte zwanzig wissenschaftliche und wissenschaftsphilosophische Bücher, seine Bibliographie zählt über 300 Aufsätze in Fachzeitschriften, die von ihm allein stammen oder in Zusammenarbeit mit Schülern und Freunden entstanden sind. Es gibt heute wohl kaum noch physikalische Arbeiten, die nicht in irgendeiner Form – direkt oder durch die Vermittlung anderer – auf den von Born erarbeiteten Grundlagen aufbauen oder an frühere Bornsche Veröffentlichungen anknüpfen. Seine Liebenswürdigkeit ließ dennoch die geistige Distanz zu seiner Umwelt völlig vergessen: »Born ist stets eine ruhige, edle, musikalische Seele gewesen; es gab nichts Schöneres für ihn, als mit seiner Frau vierhändig Klavier zu spielen. Er war der bescheidenste Gelehrte, den ich kannte«, schreibt Norbert Wiener.

To smash the little atom
All mankind was intent:
Now every day
The Atom may
Return the compliment.

Zu sprengen den Atomkern
Die Menschheit war erpicht:
Nun jeden Tag
Erwidern mag
Den Scherz der kleine Wicht.

Ein Vers von Max Born, der, ungeachtet seiner scherzhaften Form, die Problematik moderner Naturwissenschaft trifft: ihre Ambivalenz als Hilfe oder Bedrohung für die Menschheit

Als Thema seiner Doktorarbeit erhielt der junge Rudolf Mößbauer* von Professor Heinz Maier-Leibnitz den Auftrag, die Kernresonanzfluorenz zu untersuchen. »So kam es«, wie Theo Mayer-Kuckuk, ein früherer Kollege Mößbauers, in den Physikalischen Blättern beschrieb, »daß im Juni 1955 ein charmanter und sehr zielbewußter Münchener Doktorand in ein kleines Zimmer des Heidelberger Max-Planck-Instituts* einzog. Er hatte ein Bündel innen vergoldeter Zählrohre mitgebracht ... Die Zählrohre kamen allerdings nicht zu großen Ehren. Denn inzwischen hatten sich die Szintillationszähler* soweit entwickelt, daß es Mößbauer bald vorteilhafter erschien, einen Versuch damit zu wagen. Das Hauptproblem war natürlich hier die Konstanz, und es begann ein zäher Kampf um die Stabilisierung der Meßelektronik. Die Zeit des luxuriösen Experimentierens mit gekauften Verstärkern war damals in Deutschland noch nicht angebrochen. So wurden Netzgeräte, Verstärker, Diskriminatoren und Untersetzer selbst gelötet und mit vieler Mühe zu äußerster Stabilität entwickelt. Beim Aufsetzen des Natriumjodidkristalls auf den Vervielfacher brach die Glasscheibe des Kristallgehäuses. Aber es war genug Silikonfett unter der Scheibe, um den Kristall zu schützen, und die Messungen gingen auch mit einem Sprung im Glas ... Viele Institutsmitglieder erinnern sich des üblichen Bildes: Rudolf Mößbauer in langen Nächten unermüdlich den Korridor des Instituts auf und ab schreitend. Nach dem Grund dieser mönchischen Übung gefragt, gab er die Auskunft, daß nachts die Meßbedingungen günstiger seien und daß es ihm in dem kleinen Zimmer mit dem starken radioaktiven Präparat zu ungemütlich erschien.«

Die entscheidende Idee von Mößbauer war es, die Substanz abzukühlen. Vom üblichen Standpunkt aus mußte das völlig absurd erscheinen: Man faßte die Emission von Gammaquanten aus angeregten Atomkernen als reinen kernphysikalischen Effekt auf, und schon vor fünfzig Jahren bei der Radioaktivität hatte man gelernt, daß sich die Eigenschaften der Kerne nicht von außen beeinflussen lassen.

Dennoch entdeckte Mößbauer bei tiefen Temperaturen ein abgeändertes Verhalten: sehr scharfe Resonanzlinien. Der Rückstoß der Gammaquanten, der unter gewöhnlichen Umständen allein vom Einzelkern aufgenommen wird, überträgt sich hier auf den Festkörper* als Ganzes. Der Mößbauer-Effekt ist ein Festkörpereffekt, das erklärt seine Abhängigkeit von der Kristallstruktur der Substanz, der Temperatur und sogar von winzigen Verunreinigungen.

Rudolf Mößbauer

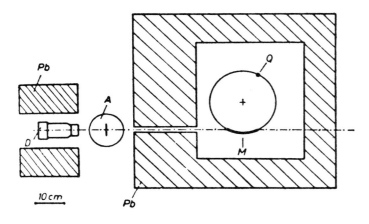

Schematische Darstellung der ersten Meßapparatur Rudolf Mößbauers

Innerhalb weniger Jahre gewann der Mößbauer-Effekt hervorragende Bedeutung, denn die neue Methode gestattet »relative Energieunterschiede zwischen zwei verschiedenen Systemen von kleiner als 10^{-14} zu messen, eine Meßempfindlichkeit, die in keinem anderen Gebiet bisher auch nur annähernd erreicht werden konnte«. Die extreme Energieauflösung ermöglicht, feinste Effekte nachzuweisen, die sich bisher jeder Feststellung entzogen hatten. So fand der Mößbauer-Effekt bisher nicht nur Anwendung in der Kern- und Festkörperphysik, sondern diente – und soll noch weiter dienen – zur Überprüfung der Einsteinschen Allgemeinen Relativitätstheorie*. Wie bei manchen anderen physikalischen Entdeckungen – zum Beispiel bei den Röntgeninterferenzen Max von Laues – setzte gleichsam explosionsartig der Aufbau des eigenen Spezialgebietes der »rückstoßfreien Kernresonanzabsorption« ein; viele Kollegen in aller Welt stürzten sich auf die »schöne neue Physik«. Die Konsequenzen der Entwicklung sind noch nicht abzusehen.

Mößbauer, der 1961 Professor am California Institute of Technology geworden war, fühlte sich in dieser Stellung sehr wohl, weil sie ihm vor allem Zeit für die wissenschaftliche Arbeit beließ: Die Organisation der Forschung in den Vereinigten Staaten war den modernen Anforderungen eher angemessen, als das noch aus dem 19. Jahrhundert stammende deutsche »Institutssystem«. Als nach der Verleihung des Nobelpreises 1961 Mößbauer auf einen Lehrstuhl nach Deutschland zurückgeholt werden sollte, setzte das ein, was man als »zweiten Mößbauer-Effekt« bezeichnet hat: Die Vorstellungen Mößbauers konnten sich gegenüber den konventionellen Formen der akademischen Organisation in Deutschland durchsetzen. An der Technischen Hochschule München wurde ein Physik-Department gegründet, in dem nebeneinander und gleichberechtigt zur Zeit zehn Professoren wirken, unter ihnen Rudolf Mößbauer und sein ehemaliger Lehrer Heinz Maier-Leibnitz. Die Einrichtung des Geschäftsausschusses macht es möglich, daß von den Professoren jeweils nur ein kleiner Teil mit Verwaltungsaufgaben belastet wird, die anderen aber frei sind für ihre wissenschaftliche Arbeit.

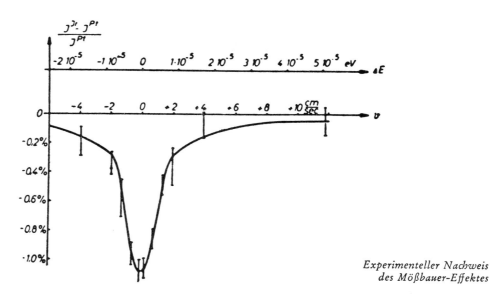

*Experimenteller Nachweis
des Mößbauer-Effektes*

Rudolf Mößbauer   1961

Hans Jensen   1963

Hans Jensen

»Für die Physiker in Deutschland brachten«, wie Hans Jensen* in seiner Nobelrede sagte, »die Kriegs- und ersten Nachkriegsjahre eine beklemmende Isolation, aber damit auch – merkwürdig genug – einige Muße, manchen vielleicht abwegig erscheinenden Fragen nachzugehen. Damals diskutierte ich wiederholt mit Haxel in Berlin und Göttingen und mit Sueß in Hamburg über die empirischen Fakten, die die sogenannten magischen Zahlen auszeichneten ... So oft die beiden Kollegen mich auch davon überzeugen wollten, daß in diesen Zahlen ein Schlüssel zum Kernbau vorläge, wußte ich zunächst nichts Rechtes damit anzufangen; den, ich wußte nicht wo und wie, entstandenen Namen ›magic numbers‹ fand ich sehr passend ...«

In den folgenden Jahren entwickelte Jensen nun sein Schalenmodell des Atomkernes. Danach stellt man sich vor, daß im Atomkern ein Kraftfeld herrscht, das aus der Überlagerung aller von den einzelnen Kernbausteinchen (Nukleonen) ausgeübten Kräfte zustandegekommen ist. In diesem Kraftfeld bewegen sich die einzelnen Nukleonen unabhängig voneinander.

Es liegen damit ähnliche Verhältnisse vor wie in der Atomhülle, wo sich die Elektronen einzeln in dem elektrischen Feld bewegen: In Analogie zur Atomhülle gibt es also auch für den Atomkern einen »Schalenaufbau«, das heißt, nach einer bestimmten Anzahl von Teilchen wird eine besonders stabile Anordnung erreicht. Das sind gerade die magischen Zahlen. Als Jensen seine erste Mitteilung an den Herausgeber einer physikalischen Zeitschrift sandte, lehnte dieser die Veröffentlichung ab mit dem Bemerken: »Das ist keine Physik, sondern nur Zahlenspielerei.«

Zu dieser »Zahlenspielerei« gewann aber Jensen immer mehr Vertrauen. Ohne daß Jensen zunächst davon wußte, hatte Maria Göppert-Mayer* in den Vereinigten Staaten (die einst in Göttingen Schülerin von Max Born gewesen war) ebensolche Auffassungen entwickelt. Später beschlossen Jensen und Göppert-Mayer, gemeinsam ein Buch über das Thema zu verfassen, und beide wurden auch gleichermaßen durch die Verleihung des Nobelpreises 1963 ausgezeichnet.

Wie das »Heidelberger Fremdenblatt« stolz registrierte, war Hans Jensen »Heidelbergs achter Nobelpreisträger«: »Prof. Jensen, beim ersten Eindruck still, fast unscheinbar wirkend, ließ mit Gelassenheit den Ansturm der Reporter aus Presse, Funk und Fernsehen über sich ergehen ... Am nächsten Abend nach dem heißen Tag, der den stillen Gelehrten so unverhofft in die Drangsal der breiten Publizität riß, war natürlich ein Fackelzug der Physikstudenten fällig. Selbst da, wo es um scheinbar so menschenferne Dinge wie die Strukturen und Bewegungen von Atomkern und Atomhülle geht, werden die vertrauten Bräuche der Alma Mater mit Fackelschein, schönen Reden und gemächlich sich leerenden Bierfäßchen treulich weitergepflegt.« Mit dieser Idylle war es freilich seit den Studentenunruhen 1968 zu Ende. Es kam zu einer scharfen Konfrontation zwischen dem großen Physiker und dem Allgemeinen Studentenausschuß der Universität. Als auf die Nachricht vom Tode Jensens im Großen Senat die Mitglieder sich von den Plätzen erhoben, verweigerten die Studenten demonstrativ dem Nobelpreisträger die letzte Ehre.

*Aus Jensens Nobelvortrag:
schematische Darstellung
der Schalenstruktur des Atomkerns*

»Der Erfolg hat viele Väter«, heißt es, und so haben denn auch, als die Verleihung des Nobelpreises bekannt wurde, all die Institutionen, die Klaus von Klitzing als Stationen auf seinem physikalischen Lebensweg passiert hat, stolz von ihrem Anteil berichtet: da war zuerst die Technische Universität Braunschweig, an der Klaus von Klitzing Physik studierte und an der er 1969 sein Diplom erwarb, und zur gleichen Zeit die Physikalisch-Technische Bundesanstalt, in deren Halbleiterlaboratorium er als Werkstudent – »für 150 Mark im Monat« – gearbeitet hat.

»Nach Abschluß der Diplomarbeit kam Herr von Klitzing unmittelbar zu mir an das Physikalische Institut der Universität Würzburg«, betonte Gottfried Landwehr in seiner Würdigung. Als »Doktorvater« durfte Professor Landwehr sich zu Recht sein Verdienst am Erfolg zugute halten. Übrigens schenkten bei der Feier im Würzburger Institut 1972 die Mitarbeiter Klaus von Klitzing einen *Doktorhut,* auf dem geschrieben stand: »Meßkurve – kein Effekt; erste Ableitung – ein Effekt; zweite Ableitung – von Klitzing-Effekt.« Noch handelte es sich um einen Scherz.

Nach der Promotion dann, ebenfalls in Würzburg, die Habilitation 1978 und die Gewährung eines »Heisenberg-Stipendiums«. Diese Einrichtung hatte die Deutsche Forschungsgemeinschaft (DFG) in Bonn-Bad Godesberg zur Förderung von Hochbegabten geschaffen und zum Gedenken nach Werner Heisenberg benannt. »Von der DFG habe ich zwölf Jahre lang gezehrt«, erinnerte sich dankbar der neue Nobelpreisträger: »Nicht nur als Heisenberg-Stipendiat, nein, fast meine ganze Forschungstätigkeit in Würzburg wurde aus Mitteln der DFG bestritten.«

1978 übernahm Gottfried Landwehr die Leitung des Hochfeld-Magnetlabors des Max-Planck-Instituts für Festkörperforschung in Grenoble, und im Herbst 1979 folgte Klaus von Klitzing. In der Nacht vom 4. auf 5. Februar 1980 gelang hier in Grenoble die Entdeckung des Quanten-Hall- oder Klitzing-Effektes.

Fast genau 100 Jahre zuvor hatte der amerikanische Physiker Edwin Hall den nach ihm benannten Effekt bekanntgemacht, der sich auf einen Leiter bezieht, bei dem senkrecht zur Stromrichtung ein Magnetfeld eingeschaltet ist. Klaus von Klitzing zeigte nun, daß unter bestimmten Bedingungen eine charakteristische physikalische Größe, der sogenannte *Hall-Widerstand,* exakt in Bruchteilen von h/e^2 quantisiert ist. Dabei sind h und e fundamentale Naturkonstanten, h ist das Plancksche Wirkungsquantum und e die elektrische Elementarladung.

Klaus von Klitzing

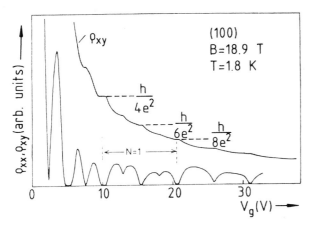

Plateaus im Hall-Widerstand sind ausgebildet bei $h/4e^2$, $h/6e^2$ und $h/8e^2$ (von Klitzing-Effekt).

Klaus von Klitzing   1985

Nachdem die Entdeckung also in einem der 60 Institute der Max-Planck-Gesellschaft (MPG) glückte, kann sich auch die Gesellschaft als Ganzes und insbesondere das Max-Planck-Institut für Festköperforschung in Stuttgart und Grenoble einen Anteil zugute halten. Auch die deutsch-französische Zusammenarbeit sollte nicht unerwähnt bleiben, da es sich bei dem Magnet-Laboratorium in Grenoble um eine vom Centre National de la Recherche Scientifique (CNRS) mitfinanzierte Einrichtung handelt.

1980 wurde Klaus von Klitzing an die Technische Universität München auf eine C 3-Professur berufen. Vier Jahre später kehrte er zurück an das Max-Planck-Institut für Festkörperforschung, diesmal aber als Mitdirektor an das Hauptinstitut in Stuttgart. Als sich am Morgen des 16. Oktober 1985 der Präsident der Deutschen Physikalischen Gesellschaft (DPG) mit Blumen vom Wochenmarkt von Dortmund aus nach Stuttgart auf den Weg machte, um zu gratulieren, war auch er »nicht ganz ohne Stolz«, darauf nämlich, daß die Physikalische Gesellschaft bereits ein Vierteljahr nach der entscheidenden Veröffentlichung in den Physical Review Letters beschlossen hatte, ihm ihren *Walter-Schottky-Preis* zu verleihen.

»Die Ausstrahlung Ihrer Entdeckung auf die Grundlagenforschung bis hin zur Quantenelektrodynamik auf der einen und auf die Halbleitertechnologie auf der anderen Seite«, sagte der DPG-Präsident bei der Stuttgarter Feier, »dies alles macht glücklich und gibt der Forschung und den Forschern Auftrieb. Die physikalische Forschung hierzulande ist nicht besser geworden durch diesen Preis, aber es wird sicher für viele deutlicher werden, wie gut und förderungswürdig sie ist.«

Als der Jenaer Physiker Ernst Abbe seine Theorie des Mikroskops aufstellte, erkannte er, daß es eine Grenze für die Fähigkeit des Mikroskops gibt, kleine Strukturen aufzulösen. Die Praktiker, die in den optischen Werkstätten Mikroskope herstellten, waren dieser Grenze bereits recht nahe gekommen, und Abbe mußte sich mit den letzten kleinen Schritten, die noch möglich waren, begnügen. In ferner Zukunft, tröstete er sich, werde es dem menschlichen Geist vielleicht doch noch gelingen, die von der Natur gesetzten Schranken »auf ganz anderen Wegen« zu überschreiten. »Nur glaube ich«, schrieb Abbe 1878, »daß diejenigen Werkzeuge, welche dereinst vielleicht unsere Sinne in der Erforschung der letzten Elemente der Körperwelt wirksamer als die heutigen Mikroskope unterstützen, mit diesen kaum etwas anderes als den Namen gemeinsam haben werden.«

Diese »ganz anderen Wege« eröffneten sich tatsächlich, als die Physiker lernten, mit Elektronenstrahlen umgehen. Hans Busch entdeckte 1926, daß die von einem Punkt ausgehenden Elektronen durch das magnetische Feld einer Spule gebündelt werden, und sprach von einer »Elektronenlinse«. Auf diese Arbeit stieß Ernst Ruska, als er sich als Student an der Technischen Hochschule Berlin mit der Fokussierung des Elektronenstrahls im Oszillographen beschäftigte. Er berechnete die Eigenschaften solcher »Elektronenlinsen« und erhielt bei der experimentellen Überprüfung vergrößerte Abbilder der Blende, die den Elektronenstrahl des Oszillographen begrenzte. In seiner Diplomarbeit von 1930 untersuchte Ruska auch elektrische Linsen, kam aber für sich zum Ergebnis, zukünftig nur noch magnetische Linsen zu gebrauchen. »Das ist ein Punkt, an dem ich einfach Glück hatte«,

Ernst Ruska

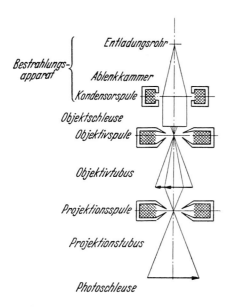

Konstruktionsprinzip des Lichtmikroskopes.

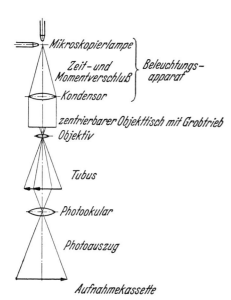

Konstruktionsprinzip des Elektronenmikroskopes.

sagte er später. »Ich hätte mich auch in die Idee der elektrischen Linsen verrennen können und hätte keinen Erfolg gehabt. Das ist ganz ähnlich wie Luftschiff und Flugzeug.«

In der Zeit der Wirtschaftskrise fand Ernst Ruska als junger Diplomingenieur keine Anstellung und blieb an der Hochschule, um zu promovieren. Am Institut für Hochspannungstechnik und elektrische Anlagen bildete sich eine Arbeitsgruppe mit Max Knoll und Bodo von Borries (der später seine Schwager wurde). Ruska setzte seine Versuche fort, mit Elektronenstrahlen vergrößerte Bilder zu erzeugen. Am 7. April 1931 erhielt er auf dem Leuchtschirm des Oszillographen die 16fache Vergrößerung des die Lochblende überspannenden Metallgitters.

Im historischen Rückblick neigen die Menschen dazu und die Physiker sind hier keine Ausnahme, die tatsächlichen Ereignisse umzuordnen in eine ihnen aus ihrer späteren Sicht logisch erscheinende zeitliche Reihenfolge. 1926 hat Erwin Schrödinger seine Wellentheorie der Materie formuliert und zur altbekannten Wellentheorie des Lichtes in Parallele gesetzt. So haben *später* viele Physiker gemeint, daß die Erfindung des Elektronenmikroskops durch die Wellentheorie der Materie angeregt worden sei. In Wirklichkeit dachten die Physiker *damals,* von einigen Ausnahmen abgesehen, noch ganz in den alten Kategorien.

Ernst Ruska stellte sich die Elektronen als Teilchen vor. Wenn er die Bilder betrachtete, die er von elektronenbestrahlten Objekten erhielt, interpretierte er das Zustandekommen dieser Bilder so, wie man es im 17. und 18. Jahrhundert in der Optik getan hatte. Damals kannte man nur die geometrische Theorie des Lichtes und war damit durchaus in der Lage, die Entstehung des Bildes in Fernrohr und Mikroskop zu verstehen.

Eine Theorie über die Leistungsfähigkeit optischer Instrumente, wie sie Ernst Abbe 1873 vorlegte, ist freilich auf der Grundlage der »geometrischen Optik« nicht möglich, dazu braucht man die genauere »Wellenoptik«. Genau so ist es bei der Elektronenoptik. Die Leistungsfähigkeit eines Elektronenmikroskops erkennt man erst, wenn man die Wellentheorie der Materie heranzieht.

Als die jungen Physiker und Elektrotechniker in Berlin die Abbesche Theorie der optischen Abbildung auf Elektronenstrahlen übertrugen, was 1932 geschah, begriffen sie, daß sie einer »Riesensache« auf der Spur waren. Das Elektronenmikroskop übertrifft das Lichtmikroskop im Auflösungsvermögen fast um einen Faktor 1 000. Damit kommt man von der Welt der Bakterien (die Robert Koch und andere im Mikroskop erforscht hatten) herab in die Welt der Viren.

Von 1937 an entwickelte Ernst Ruska bei Siemens das Elektronenmikroskop zur Serienreife. Das erste Gerät wurde zwei Jahre später an die IG-Farben geliefert, wo es im Werk Hoechst zur Analyse von Farbstoffpigmenten diente. 1955 berief ihn die Max-Planck-Gesellschaft zum Direktor einer neuen Abteilung für Elektronenmikroskopie am Fritz Haber-Institut in Berlin-Dahlem.

Wie bei vielen Gelehrten war auch sein Leben überschattet von Patent- und Prioritätsstreitigkeiten. Vieles von dem, was er geleistet hatte, wurde auch von anderen reklamiert.

Gelegentlich erfuhr er, daß ihn Kollegen zur Auszeichnung mit dem Nobelpreis vorgeschlagen hatten. Er aber rechnete nicht mehr damit, daß er die begehrteste Auszeichung noch erhalten würde. Von Alfred Nobel war im Testament festgelegt worden, daß die Preise denjenigen zufallen sollten, die »im abgelaufenen Jahr der Menschheit den größten Nutzen gebracht« hatten. Wenn sich die Schwedische

Ernst Ruska   1986

Gerd Binnig   1986

Akademie an diese Bestimmung auch nicht zu halten vermochte, so war doch klar, daß der Preis nicht dazu bestimmt sein konnte, nach Ablauf eines halben Jahrhunderts ausgleichende Gerechtigkeit zu üben.

Drei Monate vor seinem 80. Geburtstag kam das Telegramm aus Stockholm. Das Nobelkomitee hatte sich entschlossen, den Physikpreis 1986 an Gerd Binnig und Heinrich Rohrer zu vergeben. Bei den Beratungen gewannen die schwedischen Gelehrten die Einsicht, daß es unmöglich sei, den Preis für das Rastertunnelmikroskops zu vergeben, ohne die Erfindung des Elektronenmikroskops geehrt zu haben.

Gerd Binnig

Als Ernst Ruska Ende 1928 mit seinen Arbeiten über die Bündelung des Elektronenstrahls im Oszillographen begann, dachte er nicht daran, daß daraus einmal eine neue Art von Mikroskop entstehen könnte. Auch Gerd Binnig lag ursprünglich ein solcher Gedanke fern. »Raffinierte Experimentiertechnik mit einfachen Laborhilfsmitteln war seine Domäne«, urteilte sein Doktorvater. Im Oktober 1978 promovierte Gerd Binnig am Physikalischen Institut der Universität Frankfurt, wo er von Anfang an durch unkonventionelle physikalische Ideen und experimentelle Geschicklichkeit aufgefallen war. Mit der Absicht, aus dem quantenmechanischen Tunneleffekt physikalisch »etwas zu machen«, ging er als Mitarbeiter zu Heinrich Rohrer an das Forschungsinstitut der IBM nach Rüschlikon bei Zürich. »Ich habe damals Tagebuch geführt, als ich im Forschungslaboratorium zu arbeiten begann«, berichtete er der Zeitschrift *Bild der Wissenschaft:* »Ich habe am 1. November 1978 mit diesen Überlegungen begonnen. Am 3. November hatte ich bereits eine Zeichnung in meinem Notizbuch, die ein komplettes Tunnelmikroskop darstellte.« Noch fehlte das Wort »Mikroskop«, aber alle Prinzipien waren bereits vor-

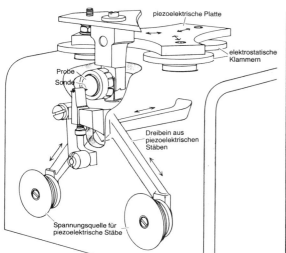

Das Herzstück des Rastertunnelmikroskopes, von Gerd Binnig »Laus« genannt.

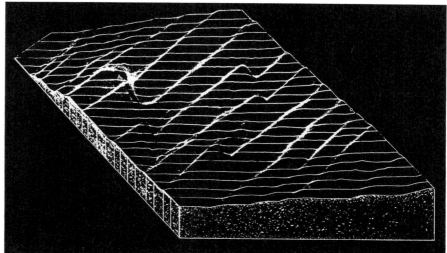

Die Oberfläche eines Silizium-Kristalles, wie sich von Gerd Binnig und Heinrich Rohrer mit dem Rastertunnelmikroskop registriert wurde. Die Stufen sind im allgemeinen eine Atomlange hoch.

handen: »die drei Piezo-Kristalle, mit denen man die feine Abtastspitze bewegen kann, die Spitze selbst und die Probenoberfläche gegenüber, um zwischen beiden den Tunnelstrom zu untersuchen.«

Zwei Monate später war es soweit: »Das Wort *Mikroskop* tauchte in meinem Notizbuch zum ersten Mal am 5. Januar 1979 auf.«

Mit dem Rastertunnelmikroskop, abgekürzt RTM, war einhundert Jahre nach den visionären Worten von Ernst Abbe und fünfzig Jahre nach dem Elektronenmikroskop abermals ein neues Werkzeug erfunden, das, wie Abbe 1878 prophezeit hatte, »unsere Sinne in der Erforschung der letzten Elemente der Körperwelt wirksamer als die Mikroskope« unterstützt und das »mit diesen kaum etwas anderes als den Namen gemeinsam« hatte. Das Elektronenmikroskop übertrifft das Lichtmikroskop im Auflösungsvermögen nahezu um einen Faktor 1000, wodurch man aus dem Bereich der Zellen und Bakterien in den Bereich der Viren und Großmoleküle eindringen kann. Mit dem Rastertunnelmikroskop steigert man das Auflösungsvermögen gegenüber dem Elektronenmikroskop abermals um einen Faktor 10 000 bis 100 000 und kommt bis zum Bereich der Atome herunter und sogar noch weiter bis in die Dimensionen der Atomkerne. Damit werden Schranken nach unten überschritten, die 1878 Ernst Abbe und seine Zeitgenossen bei all ihrem Fortschrittsoptimismus als für den Menschen prinzipiell unüberwindlich ansehen mußten.

Aber sogar noch einhundert Jahre nach Abbe hielt man solche Erfolge für unmöglich, und es hat, wie Gerd Binnig berichtete, »recht lange gebraucht, bis man uns das geglaubt hat«. Das aber war ein Vorteil. Wo heute ein neuer Gedanke in der Wissenschaft auftaucht, stürzen sich sogleich Teams von Forschern auf das Thema. Rohrer und Binnig aber hatten keine Konkurrenz, und sie konnten ihren Weg ohne Überhastung zu Ende gehen. So waren die beiden Physiker auch die ersten, die nach ihrer großen Erfindung mit dem neuen Hilfsmittel geforscht haben und Erfolg dabei hatten: »Wir waren eindeutig die ersten, die atomare Strukturen gesehen haben, die ersten bei chemischen Reaktionen mit Sauerstoffmolekülen und die ersten bei biologischen Untersuchungen.«

Im Dezember 1986 schätzte Gerd Binnig die Zahl der weltweit vorhandenen Rastertunnelmikroskope auf 200 bis 300. Mit ihren Resultaten haben Gerd Binnig und Heinrich Rohrer die Physiker also schließlich doch überzeugt. 1983 erhielt Binnig den Physikpreis der Deutschen Physikalischen Gesellschaft, im folgenden Jahr wurden beide Forscher gemeinsam mit dem *Hewlett-Packard-Preis* der Europäischen Physikalischen Gesellschaft und dem *König-Faisal-Preis* ausgezeichnet.

Als sich das Nobelkomitee mit dem Rastertunnelmikroskop und den damit durchgeführten Experimenten beschäftigte, war das Ergebnis, daß das Verdienst von Gerd Binnig und Heinrich Rohrer etwa gleich hoch zu veranschlagen sei, und die Schwedische Akademie der Wissenschaften zeichnete beide zu gleichen Teilen aus. Nach der Preisverleihung meinte Heinrich Rohrer in einem Zeitungsinterview, daß er mehr der Typ des Managers sei und Gerd Binnig mehr der Typ des Erfinders. Von einem nicht einmal vierzigjährigen Erfinder darf man noch eine Menge erwarten. Gerd Binnig geht als Laborleiter nach München, wo er sich in einem Kooperationsprojekt der Firma IBM und der Ludwig-Maximilians-Universität der Untersuchung von Oberflächen mit Hilfe der Rastertunnelmikroskopie und anderer Methoden widmen wird.

Emil Fischer

Emil Fischer-Gedenkmünze des Vereins deutscher Chemiker

Die Nachwelt muß Emil Fischers* Vater, einem betriebsamen Kaufmann, dankbar sein, daß er seinen Sohn von einer ungern begonnenen Kaufmannslehre erlöste mit der Begründung: »Der Junge ist zum Kaufmann zu dumm, so soll er denn in Gottes Namen studieren.« Das Chemiestudium erschien dem Inhaber einer Spinnerei und Wollfärberei am ehesten annehmbar. So durfte Emil Fischer in Straßburg ein Schüler Adolf v. Baeyers werden, folgte diesem als Unterrichtsassistent nach München und wurde dort außerordentlicher Professor. Nach Ordinariaten in Erlangen und Würzburg trat er 1892 die Nachfolge A. W. v. Hofmanns* auf dem Berliner Lehrstuhl an. 1902 wurde ihm der Nobelpreis zugesprochen in Anerkennung seiner Zucker- und Purinuntersuchungen, in denen die Forschung »ihre höchste Ausbildung und ihre feinste Gestalt erreicht« habe. Ein zufälliges Ereignis der Assistentenzeit hat nach eigener Darstellung Fischer den Zugang zur Zuckerchemie geebnet. Die scheinbare Ungeschicklichkeit eines Praktikanten veranlaßte ihn zum Kontrollieren eines Experimentes. Hierbei entdeckte er das Phenylhydrazin; es wurde seine Schicksalssubstanz, Ursache chronischer Ekzeme und schwerer Magen- und Darmerkrankungen, andererseits aber in seiner Hand ein unersetzliches Werkzeug. Diese aromatische Base bildete mit den verschiedenen Zuckerarten gut kristallisierende, schwerlösliche Verbindungen. Mit ihrer Hilfe konnte Fischer die einzelnen Zuckerarten voneinander trennen, so daß sie der Identifikation und chemischen Untersuchung zugänglich waren. Die Konstitutionsermittlungen, bei denen auch räumliche Vorstellungen in Betracht gezogen wurden, legten eine natürliche Gruppierung nach Länge der Kohlenstoffkette* einerseits, nach chemischem Verhalten andererseits nahe. Synthetische Verfahren führten zu natürlichen und künstlichen Zuckern. Fischer ging den Zusammenhängen zwischen Gärfähigkeit und Molekularstruktur nach. Die spezifische Wirkung der Fermente* trat dabei zutage. Mannose, Lävulose und Traubenzucker waren bereits synthetisiert, als Fischer 1890 vor der Deutschen Chemischen Gesellschaft in Berlin einen zusammenfassenden Vortrag hielt. Er wurde zur Sensation. »Ich habe niemals einen besseren Vortrag nach Form und Inhalt, voll Leidenschaft und edler Mäßigung gehört«, urteilt ein Zuhörer. »Emil Fischer wurde für uns das Maß für alle anderen Persönlichkeiten.« Im Schlußwort erklärt Fischer die Biochemie zur Aufgabe der Zukunft: »Ja, es will mir scheinen, daß die organische Synthese, welche ... in dem kurzen Zeitraum von 62 Jahren den Harnstoff, die Fette, viele Säuren, Basen und Farbstoffe des Pflanzenreichs, ferner die Harnsäure und die Zuckerarten erobert hat, vor keinem Produkte des lebenden Organismus zurückzuscheuen braucht.« Durch seine Untersuchungen über die Harnsäuregruppe mit Purin als Stammkörper und Theobromin und Coffein als bekannten Abkömmlingen hat Fischer die Grundlagen für die Chemie der Zellkerne geschaffen. In die Berliner Zeit fallen die Untersuchungen über die Eiweißstoffe. Anzahl und Verhältnis ihrer einfachen Bausteine, der Aminosäuren, wurden festgestellt, höhere Abbaustufen, die sogenannten Peptide, isoliert. Diese wiederum ließen sich aus Aminosäuren synthetisieren. Mit dem schwierigen Gebiet der Proteine hat Fischer den Weg zur Bearbeitung polymerer Stoffe* beschritten. Mit Ehren überhäuft, hatte Fischer an höchsten Stellen bedeutenden Einfluß, besonders auf Berufungs- und Unterrichtsfragen. Er übte ihn mit Ernst und strenger Sachlichkeit aus. An Gründung und Einrichtung der Kaiser-Wilhelm-Institute* war er maßgeblich beteiligt. Der Lehrer, der in blauer Litewka und steifem Hut täglich sein Labor aufsuchte, begegnete seinen Schülern mit Reserve, wenn auch nicht ohne Liebenswürdigkeit. Entbehrungen, dazu der Verlust zweier Söhne ließen ihn den Ersten Weltkrieg nur kurz überleben.

Emil Fischer 1902

Adolf von Baeyer   1905

Ein Glücksfall hat den Studenten Adolf Baeyer* am Bunsenschen Laboratorium in Heidelberg mit dem nur 6 Jahre älteren Kekulé*, dem Begründer der Strukturchemie, zusammengeführt. »Hingerissen von dem logischen Zusammenhang der neuen Lehre«, die er den Schülern »mit der Begeisterung eines Propheten« vortrug, machte der junge Lehrer seinen Freund mit Wertigkeits- und Valenzlehre, mit Vierwertigkeit des Kohlenstoffs und dessen Neigung zu Kettenbildung frühzeitig vertraut. Es waren die Leitsterne, an denen sich die Chemie in der immer stärker anschwellenden Flut der organischen Verbindungen orientieren konnte. Dennoch fühlte sich Baeyer später als Autodidakt, denn die unterschiedliche Art der beiden Freunde, sich den Dingen der Natur zu nähern, ließ eine Kluft, die sich mit zunehmender Reife vertiefte. Gegenüber Kekulé, dem großen Theoretiker, der nach Baeyers Worten »kein Interesse für die Körper selbst« hatte, »sondern nur daran, ob sie mit seinen Ideen übereinstimmten«, blieb Baeyer bewußt Empiriker, der »das Ohr an die Natur« legen, nicht recht haben wollte, sondern »sehen, wie sich die Körper verhielten«. Mit dieser unbefangenen Hingabe an die Substanz hat er sich bis ins hohe Alter Frische und Produktivität bewahrt, ein Riesenpensum an Konstitutionsaufklärungen und Synthesen bewältigt und mit freudiger Anteilnahme Errungenschaften der jüngeren Generation verfolgt.

Nach der Habilitation in seiner Vaterstadt Berlin 1860 bot sich Baeyer dort nur eine Lehrerstelle am Gewerbeinstitut. Doch entschädigten ausreichende Räumlichkeiten und ein erlesener Schüler- und Mitarbeiterkreis, unter ihnen Graebe*, Liebermann* und Victor Meyer*. Bereits damals wurden die Themen in Angriff genommen, die mit

Adolf von Baeyer

$$C_6H_4 - CO - C = C - CO - C_6H_4$$
$$\quad\quad\quad NH \quad\quad NH$$

Ausschnitt aus einem Brief Baeyers an Heinrich Caro vom 3. 8. 1883, in dem er die Entdeckung der Strukturformel des Indigo mitteilt

*Glückwunsch Baeyers an seinen
früheren Schüler Willstätter
zum Empfang des Nobelpreises*

seinem Namen verknüpft blieben, die Untersuchungen über Pflanzenpigmente und die Darstellung künstlicher Farbstoffe. Ein bestimmter Arbeitsplan wurde zunächst nicht sichtbar. Der Zufall schien im Spiele zu sein. Ein Kästchen mit Harnsäurepräparaten, das ihm auf einer Reise ein ehemaliger Liebigschüler überließ, veranlaßte frühe Arbeiten zur Puringruppe. Analogieschlüsse wurden auf das Indigoproblem gezogen. Unerwartete Erfolge stellten sich ein. Mittels der berühmt gewordenen Zinkstaubdestillation gelang 1866 die Reduktion des natürlichen Indigo bis zum Stammkörper Indol. Die gleiche Methode, von Graebe und Liebermann auf den Krappfarbstoff angewandt, erzwang die Reduktion zum Anthrazen. Der umgekehrte Weg der Oxydation erwies sich als gangbar. Die Industrie der künstlichen Alizarinfarbstoffe nahm hier ihren Ausgang. 1872 ging Baeyer als Ordinarius nach Straßburg. Inzwischen waren die Phthaleïnfarbstoffe in Arbeit. Dem Doktoranden Emil Fischer waren die Untersuchungen über Fluoreszeïn anvertraut. Die industrielle Verwertung ergab sich unmittelbar. Bereits 1874 führte Heinrich Caro* das in Ludwigshafen fabrizierte Eosin vor. 1875 nahm Baeyer einen Ruf nach München an. 40 Jahre ungestörter Arbeit begannen. Der Norddeutsche erwarb sich in Bayern Achtung und Zuneigung, wenn auch der Labordiener Deigele, ehemaliger bayerischer Unteroffizier, sich anfänglich sträubte, einem Preußen zu dienen. Hunderte von Publikationen gingen unter Baeyers Führung aus dem chemischen Laboratorium der Akademie der Wissenschaften in München hervor. Seinem Schülerkreis entstammten vier Nobelpreisträger. Haupterfolge waren Konstitutionsaufklärung* und Synthese* des Indigo, Untersuchungen über hydroaromatische Verbindungen, Terpene, Vierwertigkeit und basische Eigenschaften des Sauerstoffs, Zusammenhang zwischen Konstitution und Farbe, Spannungstheorie. 1905 erhielt Baeyer den Nobelpreis, nicht zuletzt dafür, daß durch sein Wirken die chemische Industrie entscheidende Antriebe erfahren, insbesondere die Farbstoffindustrie ihren Aufschwung erhalten hatte.

Eduard Buchner

In den Diskussionen, die sich im 19. Jahrhundert um den Gärungsprozeß entspannen, fand Pasteurs* Behauptung, die Gärungsvorgänge seien an den Lebensprozeß von Mikroorganismen gebunden, allgemeine Anerkennung. Diese These hat Buchner* widerlegt. Schon früh war er dem Gärungsproblem begegnet. Elfjährig, vaterlos, war er mit seiner Ausbildung dem älteren Bruder Hans, Hygieniker und späterer Nachfolger Pettenkofers* in München, anvertraut. Eine mehrjährige Tätigkeit in einer Konservenfabrik, die notgedrungen dem erwünschten Chemiestudium vorgeschoben werden mußte, brachte ihn bereits mit Gärungsfragen in Berührung. Während anschließender Studienjahre bei Baeyer in München arbeitete er gleichzeitig unter seines Bruders Leitung am Pflanzenphysiologischen Institut. Hier entstand 1886 seine erste gärungsphysiologische Arbeit »Über den Einfluß des Sauerstoffs auf Gärungen«. Darin widersprach er Pasteurs Ansicht, daß der Sauerstoff gärungsfeindlich sei. Seine aufsehenerregende Abhandlung »Alkoholische Gärung ohne Hefezellen« publizierte er von Tübingen aus, wo er seit 1896 außerordentlicher Professor war. Der Anlaß stammte wieder aus dem Arbeitskreis um Hans Buchner. Dort hatte man Zellsäfte aus Mikroben für therapeutische Untersuchungen hergestellt. Den leicht zersetzlichen Preßsaft aus Bierhefe versuchte man durch Rohrzuckerlösung zu konservieren. Bei einem Ferienbesuch in München beobachtete

Eduard Buchner   1907

Wilhelm Ostwald   1909

Eduard Buchner in der Flüssigkeit eine Gasentwicklung. Er führte dies alsbald auf eine alkoholische Gärung zurück, die hier offenbar ohne Gegenwart von Lebewesen ablief. Eine chemische Substanz mußte also wirksam sein. Er nannte sie Zymase. In der Verteidigung, Erhärtung und Erweiterung seiner Theorie bestand seine Lebensarbeit. Auch Maltose, Saccharose, Fructose, Glukose bestanden die Probe der zellfreien Gärung. Essigsäure- und Milchsäuregärung ergaben sich als Parallelvorgänge. Der Widerhall war stark. Zwischen den Gelehrten wurde das Für und Wider ausgehandelt. 1907 erhielt Buchner, inzwischen Professor an der Landwirtschaftlichen Hochschule in Berlin, den Nobelpreis. Er hat der chemischen Untersuchung der Gärungsvorgänge das Tor geöffnet. – Buchner war kein einseitiger Stubengelehrter, ein Hochtourist, der Hunderte von Gipfeln bestiegen hat, ein Jäger, der seine Jagdgefährten gern am Wirtshaustisch durch bayrische Lieder »vom Fensterln« und »vom Schluchzerl« erfreute. Er starb als Soldat im Ersten Weltkrieg an den Folgen einer Verwundung in Rumänien.

Hydraulische Presse zur Verflüssigung des Zellinhalts der Hefe

Wilhelm Ostwald

Im Juni 1884 hatte Wilhelm Ostwald* an einem Tag gleichzeitig ein Töchterchen, ein Zahngeschwür und, mit der Post, den Sonderdruck einer wissenschaftlichen Abhandlung bekommen. Die Veröffentlichung – Verfasser war ein ihm unbekannter Svante Arrhenius* – bereitete Ostwald die meisten Kopfschmerzen.

»Was darin stand, war so abweichend vom Gewohnten und Bekannten, daß ich zunächst geneigt war, das Ganze für Unsinn zu halten. Dann aber entdeckte ich einige Berechnungen des offenbar noch sehr jungen Verfassers, welche ihn bezüglich der Affinitätsgrößen der Säuren zu Ergebnissen führten, die gut mit den Zahlen übereinstimmten, zu denen ich auf ganz anderem Wege gelangt war. Und schließlich konnte ich mich nach eingehendem Studium überzeugen, daß durch diesen jungen Mann das große Problem der Verwandtschaft zwischen Säuren und Basen, dem ich ungefähr mein ganzes Leben zu widmen gedachte und von dem ich bisher in angestrengter Arbeit erst einige Punkte aufgeklärt hatte ... in viel umfassenderer Weise als von mir angegriffen und auch teilweise schon gelöst war. Man wird sich leicht vorstellen können, welch ein Durcheinander von Gefühlen eine solche Erkenntnis in einem jungen Forscher erwecken muß, der seine Zukunft erst zu machen hat und sich plötzlich auf dem Felde, das er sich so recht einsam und abseits ausgesucht hatte, einem höchst energischen Mitarbeiter gegenüber sieht ... Es war sicher nicht schwer, diesen plötzlichen Konkurrenten durch Totschweigen im Hintergrund zu halten, da derzeit nur wenige Fachgenossen sich überhaupt um solche Fragen kümmerten.«

Ein Totschweigen des Kollegen kam für Ostwald ernsthaft natürlich überhaupt nicht in Betracht. Sofort setzte er sich mit Arrhenius in Verbindung und begann, durch Leitfähigkeitsmessungen an Säuren dessen Thesen zu überprüfen.

»So konnte ich, indem ich die nötigen Geräte meinen Möglichkeiten anpaßte und den vom Telegraphenamt auf einige Tage (länger war er nicht entbehrlich) geliehenen Widerstandskasten kopierte, nach kurzer Zeit die gewünschten Widerstandsmessungen mit reichlich genügender Genauigkeit ausführen. Ich maß alsbald meine ganze Sammlung von Säuren durch, die ich von den anderen Untersuchungen her vorrätig hatte. Unter immer stärkerem Herzklopfen fand ich eine Zahl nach der anderen der Voraussage und Erwartung entsprechend. Da jede Bestimmung in einigen Minuten erledigt werden konnte und die Lösungen vorrätig waren, so drängten sich Bestätigungen über Bestätigungen in eine so kurze Zeit zusammen, wie ich es sonst kaum je erlebt habe.«

Freilich bedurfte es einer geraumen Zeit, bis sich die revolutionären neuen Auffassungen durchsetzen konnten. Ostwald, der ja als erster zu den »Ioniern« gehörte, berichtete: »Mir ist noch die Szene im chemischen Laboratorium zu Uppsala vor Augen, wo der Chef, selbst ein hochbedeutender Chemiker, mich entsetzt fragte, indem er auf ein Becherglas mit einer wäßrigen Lösung hinzeigte: ›Und Sie glauben auch, daß dort die Natriumatome nur so herumschwimmen?‹ Und als ich bejahte, fiel ein schneller Blick auf mich, der einen aufrichtigen Zweifel an meiner chemischen Vernünftigkeit zum unbewußten Ausdruck brachte.«

Das »recht einsame und abseits gelegene« Gebiet der physikalischen Chemie nahm durch die Arbeiten von Arrhenius, van't Hoff* und Ostwald einen ungeheuren Aufschwung. 1887 wurde von Ostwald auch die neue »Zeitschrift für physikalische Chemie, Stöchiometrie und Verwandtschaftslehre« gegründet. In seinem Vorwort »An die Leser« zitierte Ostwald Worte von Emil du Bois-Reymond*: »Im Gegensatz zur modernen Chemie kann man die physikalische Chemie die Chemie der Zukunft nennen«.

1887 wurde Ostwald Professor für Chemie in Leipzig. Aus dem von ihm geleiteten »Zweiten chemischen Laboratorium« wurde später das Physikalisch-Chemische Institut. Das »explosionsartige Aufbrechen« der neuen Wissenschaft ist wesentlich seiner ungeheuren Arbeitskraft und seiner starken, glanzvollen Persönlichkeit zu danken. So gelang ihm auch die grundlegende Erklärung der schon lange bekannten und technisch verwerteten Katalyse* durch die Verbindung mit der Thermodynamik, eine Leistung unter vielen, die 1909 durch die Verleihung des Nobelpreises hervorgehoben wurde.

Die Ostwaldsche »Energetik« verursachte eine starke Polemik; einen ähnlich extremen Standpunkt nahm Ostwald in der Frage der Existenz der Atome ein, die er, genau wie Ernst Mach, als Positivist leugnete, obwohl er doch selbst erfolgreich für die Anerkennung der Ionen gekämpft hatte.

Der Umfang von Ostwalds literarischem Werk ist ungeheuer. Der Chemiehistoriker Walden errechnete allein für den Zeitraum bis 1904 für die Lehr- und Handbücher etwa 16 Bände Lexikonformat zu je 1000 Seiten, 630 Seiten Originalveröffentlichungen, 3880 Referate und 920 Rezensionen.

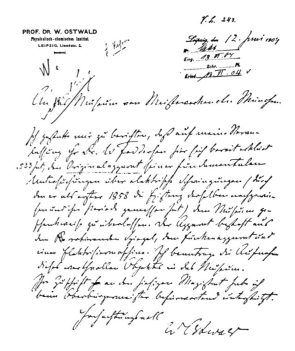

Brief Ostwalds an das Deutsche Museum vom 12. 6. 1904

Otto Wallach

»Sollten Sie sich dazu entschließen, hierher zu kommen, so bin ich sicher, es wird Ihnen gefallen. Fern vom Getriebe der Stadt leben wir ein Künstlerleben auf dem Lande.« Otto Wallach* hat es nie bereut, dieses Angebot des ihm unbekannten Kekulé* angenommen zu haben. Nach unbefriedigender Studienzeit in Göttingen, wo Wöhler in veralteten Formen lehrte, und in Berlin bei A. W. Hofmann*, dessen Laboratorium unter Platzmangel litt, wurde er in Bonn schnell heimisch. Er hatte bei Hübner in Göttingen promoviert. Aber erst unter Kekulés anregendem Einfluß entwickelten sich seine Fähigkeiten. Hier entdeckte er als Unterrichtsassistent sein Lehrtalent, habilitierte sich 1873, genoß im geselligen Freundeskreis das unbeschwerte rheinische Leben und erhielt 1876 als Extraordinarius eine recht selbständige Stellung, die auch den Unterricht der Pharmazeuten und Schulamtskandidaten einschloß.

1889 erhielt Wallach einen Ruf nach dem nüchternen Göttingen. Geselligkeit nach rheinischer Art fand er dort nicht vor, dafür eine Atmosphäre, die gesammelter Arbeit nützlich war und nicht ohne Wirkung blieb. Hatte Wallach in Bonn mit einer großen Schar von Doktoranden eine ansehnliche Zahl von Publikationen herausgebracht, so fehlte diesen doch die einheitliche große Linie. Hier in Göttingen fand er das ihm eigene Arbeitsgebiet, die Gruppe der ätherischen Öle, der pflanzlichen Riechstoffe, der Terpene und Campher. Auch Adolf v. Baeyer hat sich mit diesen Verbindungen befaßt und festgestellt, daß sie bei zyklischer Struktur im chemischen Verhalten zu den kettenförmigen Körpern hinneigen. Wallach gelang es, in die unübersehbare Fülle von Einzelbeobachtungen Ordnung und Gliederung zu bringen. Seine Leistung bestand nicht in einer einmaligen großen Entdeckung, sondern in der systematischen gründlichen Bearbeitung eines wichtigen, damals noch rätselhaften Stoffgebietes. Der erste Schritt war die Kennzeichnung der einzelnen chemischen Individuen durch exakte Daten wie Schmelzpunkt, Dichte, Drehvermögen. Dann wurde versucht, zwischen den einheitlichen Substanzen Brücken zu schlagen, Verwandtschaften festzustellen. Letztes Ziel war Konstitutionsaufklärung* und Synthese*. Wallach hat die Ergebnisse 1909 in Buchform zusammengefaßt. 1910 erhielt er den Nobelpreis. Ein passionierter Lehrer, hat er Anteil daran, daß Göttingen unter den deutschen Ausbildungsstätten für Chemie in die vorderste Reihe rückte.

Aus einem Brief Wallachs an Arnold Sommerfeld vom 13. 12. 1899

Otto Wallach   1910   Richard Willstätter   1915

Richard Willstätter

»Was ich mir eine Zeitlang wirklich wünschte, war für mich unerreichbar: eine unabhängige kleinere Stelle, die selbständige Professur an einer kleinen deutschen Universität.« Dieser Wunsch ist Willstätter* nie in Erfüllung gegangen. Es war ihm bestimmt, immer zwischen Extremen wählen zu müssen. Nur zögernd nahm der Schüler Adolf v. Baeyers und Extraordinarius in München auf Anraten seines verehrten Lehrers 1905 eine Professur an der Technischen Hochschule in Zürich an. Sieben Jahre später bedurfte es des persönlichen Besuches Emil Fischers und dessen Zuredens, um ihn zum Übergang an das eben gegründete Kaiser-Wilhelm-Institut* in Berlin-Dahlem zu bewegen. Wieder waren die in Aussicht gestellten besseren Arbeitsbedingungen ausschlaggebend. 1915 berief ihn das bayerische Ministerium als Nachfolger Baeyers nach München. Fast zehn Jahre später legte Willstätter dort sein Amt nieder, durch antisemitische Strömungen verletzt. Vierzehn Jahre hat er als »freiresignierter« Professor und Forscher in München gelebt, bis ihn die politischen Ereignisse in Deutschland 1939 zum Übertritt in die Schweiz bewogen. Er ließ sein Haus mit wertvoller Bibliothek und kostbaren Kunstschätzen zurück. In seinem Refugium, der Villa Eremitaggio am Lago Maggiore, schrieb er seine Lebenserinnerungen.

Willstätter war bereits der erfolgreiche Bearbeiter der Tropingruppe, dem die Synthese* des Cocains gelungen war, als in Zürich für ihn eine Zeit ungestörter Forschungsmöglichkeiten begann. Im Vordergrund standen die Arbeiten über das Chlorophyll. Das Reiten in frühen Morgenstunden hat ihm den Anreiz gegeben. »Die Welt war schön, und das Grün des Pflanzenkleides unserer Erde war verführerisch.« Er selbst fühlte sich an einem Wendepunkt. Nicht mehr wie seine Vorgänger wollte er künftig technisch vorbereitetes Material untersuchen, sondern vom unberührten Naturprodukt ausgehen. Mit frisch gepflückten grünen Pflanzen erzielte er einzigartige Erfolge. Der Blattfarbstoff erwies sich als Magnesiumkomplex. Seine zwei Bestandteile, die a- und die b-Komponente, konnten getrennt werden. Die gelben Begleitfarbstoffe, unter ihnen das Carotin, wurden isoliert und analysiert. Im vorsichtigen schrittweisen Abbau des komplizierten Moleküls* wurden Körper gefunden, die entsprechenden Abbauprodukten des Blutfarbstoffs nahestanden. Das Ferment* Chlorophyllase wurde entdeckt. Vergleichende Untersuchungen an verschiedenen Pflanzen ergaben, daß ein einheitlicher Blattfarbstoff für alle Pflanzen existiert. – In Berlin kamen die Chlorophyllarbeiten zu einem vorläufigen Abschluß. Vor allem aber leuchten dem Autobiographen aus der Dahlemer Zeit »die Erinnerungen an die Farben der Blüten und der Früchte heraus«. Es waren die Anthocyane, die Farbstoffe von Kornblume und Rose, Preißelbeere und Pelargonie, Rittersporn, Dahlie und Mohn und anderer Gewächse mehr, die isoliert und auf Stammsubstanzen zurückgeführt wurden. Diesen Untersuchungen und dem Ausarbeiten von Synthesen machte der Krieg ein Ende. Die Mitarbeiter zogen ins Feld, das Labor verödete, Körbe von Blüten wanderten in die Lazarette. Die Beschaffung einer wirksamen Gasmaskenfüllung war vordringlich. Gerade damit beschäftigt, erfuhr Willstätter im November 1915 durch den Anruf einer Berliner Zeitung, daß ihm der Nobelpreis zugesprochen sei. – Die Übersiedlung nach München im März 1916 hatte Unruhe im Gefolge. Umbauten und Renovierungsarbeiten verzögerten sich durch Krieg und Revolution bis 1920. Dann kam die Inflation, dazu erdrückende Unterrichtsverpflichtungen mit Zwischensemestern für die zurückströmenden Kriegsteilnehmer. Wieder ließ Willstätter eine Wende eintreten. »Für das Verlassen der früheren Arbeitsaufgaben ... war ausschlaggebend der Drang, den Bereich und die Methodik der organischen Chemie zu erweitern, in dunkle Gebiete und angrenzende fremde Disziplinen Pfade zu schlagen.« Seit langem hatte ihn die rätselhafte Natur der Enzyme* angezogen, mit denen ihn schon Untersuchungen über den Assimilationsvorgang in Berührung gebracht hatten. Bearbeitet wurden vor allem Peroxydasen, Carbohydrasen, Proteasen und Lipasen. Themen waren die Freilegung der Enzyme aus der Zelle, Methoden der Bestimmung und Isolierung und die Steigerung der Konzentration. Die Ergebnisse wurden in Buchform zusammengefaßt. Die Emigration machte den wissenschaftlichen Arbeiten ein Ende.

Der Angehörige einer in Baden eingesessenen jüdischen Familie, der sich nie aus Opportunismus taufen lassen wollte und die »geliebte deutsche Heimat« als Emigrant verließ, kann in seinem Lebensbericht Entrüstung und Bitterkeit nicht ganz unterdrücken. Doch ist dies nicht der wesentliche Zug. Indem sich »zum Großen das Kleine, zum Schweren das Leichte, zur Arbeit die Muße« gesellt, entsteht eine höchst lebendige authentische Darstellung des damaligen Hochschullebens. Willstätters Freund und Betreuer, der ehemalige Schweizer Schüler A. Stoll, hat die Biographie beendet.

Professor Richard Willstätter

München 27, den 23. Dezember 1938
Möhlstr. 29

[handschriftlicher Brief]

Brief Willstätters an Malyoth vom 23. 12. 1938

Fritz Haber

Habers* Ammoniaksynthese, die 1918 mit dem Nobelpreis ausgezeichnet wurde, ging aus den Bemühungen der Jahrhundertwende hervor, den Luftstickstoff in eine gebundene, als Dünger verwertbare Form überzuführen. Fehlschätzungen der Salpetervorkommen in den chilenischen Hochgebirgen hatten Beängstigungen ausgelöst, dieser natürliche Vorrat an Stickstoffdünger könne in nicht allzu ferner Zeit zur Neige gehen. Versuche, den Stickstoff der Luft im elektrischen Lichtbogen an Sauerstoff zu binden, waren im Gange. Die Badische Anilin- und Sodafabrik in Ludwigshafen war an dieser Stickoxyderzeugung interessiert und trat mit Haber, Professor in dem nahen Karlsruhe, deswegen in Verbindung. Haber hielt das Verfahren vom Energieaufwand her für ungünstig, gab aber auf Grund von Messungen und Gleichgewichtsberechnungen einem anderen Weg der Stickstoffbindung mehr Chancen, nämlich der Synthese* von Ammoniak aus den Elementen Stickstoff und Wasserstoff. Obwohl Ludwigshafen diesen Vorschlag zurückhaltend aufnahm und dazu Nernst, der sich auch mit dem NH_3-Gleichgewicht befaßte, die technische Ausnutzbarkeit bezweifelte, kam Haber nach mehreren Ansätzen 1908/09 mit seinem Mitarbeiter Le Rossignol zum Ziel. Das Gasgemisch mußte bei möglichst tiefer Temperatur in Gegenwart eines Katalysators* einem möglichst hohen Druck ausgesetzt werden. Temperaturen um 600° C und Drucke um 200 atm erschienen aussichtsreich. In Osmium und Uran fand Haber geeignete Katalysatoren. Am 2. Juli 1909 konnte er die Abgesandten Ludwigshafens von der Brauchbarkeit seiner Synthese überzeugen. Seine Modellapparatur war schon auf Absorption des Ammoniaks aus dem hochgespannten Gasgemisch und auf Erwärmung der eintretenden Gase durch die heißabziehenden eingerichtet, ähnlich der Anlage, die fünf Jahre später, von Bosch entwickelt, dem Großbetrieb diente. Das »Haber-Bosch-Verfahren« wurde zum Vorbild für alle späteren Hochdrucksynthesen, und das synthetische Ammoniak wurde eines der wichtigsten Produkte der chemischen Großindustrie.

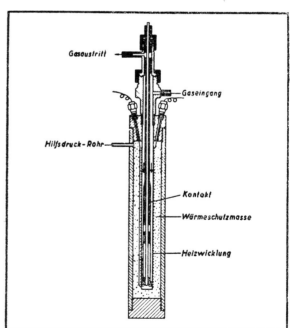

Links: Patent an die BASF für die von Haber entwickelte Ammoniaksynthese
Rechts: Hochdruckreagenzglas Habers für die synthetische Herstellung von Ammoniak aus dem Jahre 1908

Das physikochemische Rüstzeug hatte Haber sich als Autodidakt erworben. Nach unbefriedigenden Studienjahren war er mit einer der üblichen präparativen Doktorarbeiten bei Liebermann* in Berlin an die organische Chemie gekommen. Doch überzeugten ihn drei Semester, die er nach einigem Sichumsehen in Industriebetrieben bei Knorr in Jena verbrachte, daß die langwierige Kleinarbeit des Organikers, »ein unverdauliches und ideenarmes Gekoch«, ihm nicht entsprach. 1894 trat er in Karlsruhe als Assistent in das Institut der Technologen Bunte* und Engler* ein, in deren den Anwendungen zugewandten Arbeitsbereichen er viele Anregungen für die neuerwählte Wegrichtung der physikalischen Chemie fand. Er wurde dort Dozent und 1908 Ordinarius. – 1912 wurde Haber Leiter des neugegründeten Kaiser-Wilhelm-Instituts* für physikalische Chemie in Berlin-Dahlem. Der Kriegsausbruch 1914 unterbrach die ungestörte Forschertätigkeit. Haber stellte das gesamte Institut in den Dienst der Landesverteidigung, setzte sich für den Gaskampf ein und wurde dessen verantwortlicher Organisator. Nach Kriegsende verwandte er Organisationsgabe und Einfluß auf die Förderung der Wissenschaften in Deutschland. Ein Plan, Deutschlands Kriegsschuld aus dem im Meerwasser gelösten Goldvorrat zu decken, mußte als undurchführbar aufgegeben werden. In seinem Institut gab Haber inzwischen neuen Arbeitsgebieten Raum, darunter der Reaktionskinetik, der Atomstruktur, der Quantenphysik*. Schwer trafen ihn 1933 die Diffamierungen, denen seine jüdische Rasse durch den Nationalsozialismus ausgesetzt war. In einem würdigen Verzichtschreiben legte er seine Ämter nieder und emigrierte, schwerkrank, nach England. Er starb 1934.

*Der Vater pitzt, und saugt den roten Wein
Und er sieht aus wie damit angestrichen
Ach alle Tugend ist von ihm gewichen!
Man lasse solche Väter nicht allein.
Der Freund
Fritz Haber*

*Wer Haber kennt, ...
Mein roter Wein ist ... ... Fr. P.*

Scherzgedicht Habers auf Willstätter und dessen Entgegnung: ein Urlaubsgruß beider an Willstätters Tochter

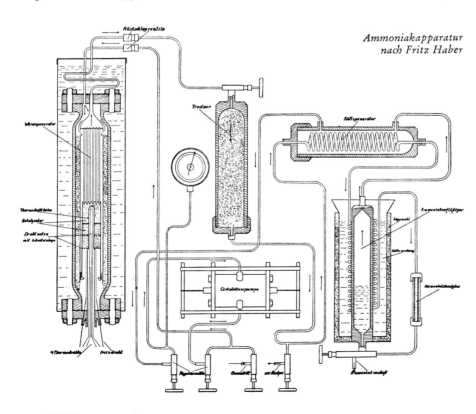

Ammoniakapparatur nach Fritz Haber

Fritz Haber   1918   Walther Nernst   1920

Auf einer Reise an österreichische Hochschulen lernte der Rigaer Professor Wilhelm Ostwald 1887 in Graz Walther Nernst*, Schüler von Boltzmann* und Ettinghausen, kennen. Als er kurze Zeit darauf Ordinarius in Leipzig wurde, gewann er Nernst für eine Assistentenstelle. So kamen die beiden großen Verfechter der physikalischen Chemie in Deutschland zu einigen Jahren gemeinsamen Wirkens. Schon 1890 erhielt Nernst, inzwischen habilitiert, einen Lehrauftrag in Göttingen, wurde 1894 Ordinarius und konnte 1896 ein eigens für ihn geschaffenes Institut eröffnen. Etwa ein Jahrzehnt später siedelte er nach Berlin über, um an der Universität die Nachfolge Landolts* anzutreten. 1922 wurde er Präsident der Physikalisch-Technischen Reichsanstalt*. Doch fehlte dort die Zeit zu wissenschaftlicher Betätigung, und er kehrte 1924 an die Universität zurück, jetzt auf den Lehrstuhl für Physik. Bis 1933 hat er sein Amt ausgeübt.

Nernst kam schon in jungen Jahren zu wissenschaftlichen Erfolgen. Eine Experimentalarbeit unter Ettinghausen über elektromotorische Kräfte, die in wärmedurchflossenen Metallplatten durch Magnetismus hervorgerufen werden, behandelt den »Ettinghausen-Nernst-Effekt«. Seine Habilitationsschrift »Die elektromotorische Wirksamkeit der Ionen« verbindet die van't Hoffsche* Theorie des osmotischen Druckes mit der Theorie der elektrolytischen Dissoziation von Arrhenius*. Sie fand in ihrem gesetzmäßigen Ausdruck als »Nernstsche Gleichung« Verbreitung. In allen Lehrbüchern der physikalischen Chemie begegnet der »Nernstsche Verteilungssatz« vom konstanten Konzentrationsverhältnis einer Substanz in zwei nicht mischbaren Flüssigkeiten. Als sich in Göttingen ein Schülerkreis bildete, wuchsen die Arbeitsmöglichkeiten. Zu den Untersuchungsthemen gehörten unter vielem anderen Überspannungen und Polarisation, Elektrokapillarität und Dielektrizitätskonstante, vor allem aber die chemischen Gleichgewichte. Hier gelangte Nernst zu seinem bedeutendsten Erfolg, zur Aufstellung des »Nernstschen Wärmetheorems«, auch »3. Hauptsatz der Thermodynamik« genannt. Die erste Veröffentlichung darüber fiel in die Berliner Zeit. Es ging um das Problem, chemische Gleichgewichte aus thermischen Daten zu berechnen, was aus den zwei bisher bekannten Hauptsätzen der Thermodynamik nicht ohne eine zusätzliche Aussage möglich war. Nernst stellte die kühne Behauptung auf, daß die Werte zweier charakteristischer Größen einer chemischen Reaktion, Affinität und Wärmetönung, bei sehr tiefen Temperaturen sich asymptotisch einander nähern und beim absoluten Nullpunkt den gleichen Wert annehmen. Die Prüfung dieser These erforderte über Jahre hinaus umfangreiche Messungen von spezifischen Wärmen und Gleichgewichten. Die Quantentheorie* spielte bei Beweisführung und Anwendung eine entscheidende Rolle. 1920 erhielt Nernst den Nobelpreis. Sein Theorem wirkte bis in die jüngste Zeit außerordentlich anregend, besonders auf die Untersuchung der Materie bei extrem tiefen Temperaturen.

Nernst war eine vielseitige Natur. Sagt Einstein dem Forscher wissenschaftlichen Instinkt, souveräne Beherrschung des Tatsachenmaterials, seltene Meisterschaft in Experimentiermethoden und -kniffen, Objektivität, echte Leidenschaft für die Erkenntnis tieferer Zusammenhänge nach, so ist doch auch eine Neigung zu technischen Erfindungen und der nüchterne Sinn für kommerzielle Ausnützung sehr ausgeprägt, wenn auch nicht immer vom Glück begünstigt. Alle Welt erfuhr vom »Nernst-Stift«, einer keramischen Masse aus Zirkonoxyd mit Zusätzen, die bei hohen Temperaturen strahlend helles Licht aussendet. Das Patent wurde von der AEG angekauft. Doch Auer v. Welsbachs* Metallfadenlampe schlug die Nernst-Lampe bald aus dem Felde. Dagegen verkannte Nernst die technische Ausnutzbarkeit der Haberschen Ammo-

Walther Nernst

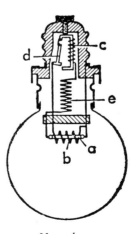

Nernstlampe

Prof. Dr. W. Nernst

Rittergut Zibelle O/L
b. Muskau

Lieber Herr Ostwald!

Vielleicht beantworte ich Ihre Anfrage vom 15. d. M. am klarsten, indem ich zunächst darlege, wie ich zur Aufstellung meines Wärmetheorems gekommen bin.

$$A - U = T \frac{dA}{dT}$$

erhält man, U für alle Temperaturen zu berechnen, wenn man A als Temperaturfunktion kennt. Ich hielt es als a priori für sicher, daß man auch A berechnen kann, wenn man U als Funktion der Temperatur kennt.

Die einfachste Antwort auf diese Frage ist offenbar, daß für T = 0 stets

$$A = U$$

...

niaksynthese, über die er Messungen und Berechnungen angestellt hatte. Im Urteil seiner Schüler war Nernst »ein Mensch, der voll Realismus dem Leben in all seiner Fülle zugewandt ist. Nernst liebte die schmackhaften Gerichte, die süffigen Weine und die schönen Frauen«. Er pflegte Gesellkeiten, hatte Sinn für Humor, war der Musik zugetan und zählte Künstler und Dichter zu seinen Freunden. Er ging gern auf die Jagd. Auf seinem Landsitz mußten die Gäste Düngeversuche und Karpfenzucht bewundern. Er war populär als Autofahrer, einer der ersten in Deutschland. Seine Übersiedlung nach Berlin im eigenen Kraftwagen war für Göttingen ein Ereignis. Im Ersten Weltkrieg leistete er beim Freiwilligen Automobilkorps Fahrerdienste, ein Anlaß zu manch unerwarteter Situation. Nernst gehörte zu denen, die gern viel bewältigten. Rektorat, Gründung und aktive Mitgliedschaft in Ausschüssen und wissenschaftlichen Vereinen liefen neben Forschung und Lehre her. Nicht frei von Eitelkeit und Selbstgefälligkeit, wurde er zuweilen von Kollegen belächelt, genoß aber doch deren Zuneigung. Seine letzten Lebensjahre verbrachte er auf seinem Landsitz in der Lausitz.

Seite aus einen Brief an Walter Ostwald vom 14. 9. 1940, in dem Nernst den Weg zur Aufstellung seines Wärmetheorems beschreibt

Richard Zsigmondy

»Wie etwa für Emil Fischer das Phenylhydrazin, so war für Zsigmondy das Gold-Sol der Schlüssel, mit dem er immer wieder neue Tore zu öffnen verstand«. Richard Zsigmondy* erschloß vor allem den Zugang in die »Welt der vernachlässigten Dimensionen«, denen die Kolloide* angehörten. Die Größe dieser Teilchen lag zwischen den Atomen der Physiker und den wägbaren Substanzmengen der Chemiker.
Zusammen mit Henry Siedentopf* erfand Zsigmondy 1903 das Ultramikroskop, mit dessen Hilfe sich kolloide Teilchen geeigneter Brechungsindizes (wie etwa das Gold-Sol) sichtbar machen ließen. Die kolloiden Goldteilchen zeigten die Brownsche Molekularbewegung* »in so eindrucksvoller Schönheit«, daß davon auch ein wesentlicher Anstoß zur Behandlung dieses Phänomens (und damit zugleich zur atomistischen Auffassung der Materie) ausging.
Seine Lebensarbeit hat Zsigmondy zusammenfassend dargestellt in dem Lehrbuch über die »Kolloidchemie«, das 1912 in erster, 1925/27 in fünfter Auflage (und in zwei Bänden) erschienen ist: »Man spürt in diesem Buche auf jeder Seite etwas von seiner gründlichen und glänzenden Experimentierkunst und seiner innigen Verbundenheit mit den Naturvorgängen.«
Häufig wandte sich Zsigmondy gegen die »willkürliche Einführung von Hypothesen«. Abstrakte Theorien lagen ihm nicht, viel mehr eine »gegenständliche Art«, so daß er neben- und nacheinander die verschiedenen Kolloidformen mit allen zu Gebote stehenden chemischen und physikalischen Hilfsmitteln untersuchte.

Heinrich Wieland   1927

Richard Zsigmondy   1925

Im Nachruf charakterisierte Herbert Freundlich in liebevollem Verständnis den Nobelpreisträger: »Seinerzeit war Richard Zsigmondy der Mann, der die Kolloidchemie zu neuem Leben erweckte, der ihre Grundlagen vertiefte und erweiterte, sie mit den schönsten Beobachtungen und Untersuchungsverfahren beschenkte und sie in schönster Weise mit anderen Gebieten der Wissenschaft und des Lebens, mit der Technik und der Medizin verknüpfte. Er besaß in hohem Maße alle die Eigenschaften, die in diesem Fache den Meister machen. Einer späteren Zeit, der sich rückschauend die Jahre dichter zusammendrängen, wird seine fesselnde und unvergängliche Persönlichkeit unmittelbar neben Thomas Graham*, dem Begründer der Kolloidchemie, stehen.«

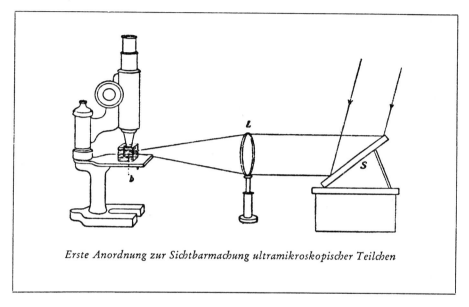

Erste Anordnung zur Sichtbarmachung ultramikroskopischer Teilchen

Heinrich Wieland

Der jüngste Nobelpreisträger, der aus Adolf v. Baeyers Schule hervorgegangen ist und diesem noch persönlich nahestand, ist Heinrich Wieland* gewesen. Unter Thiele, damals gerade Abteilungsleiter am Baeyerschen Institut, schloß er 1901 seine Doktorarbeit ab, habilitierte sich drei Jahre später, wurde 1909 außerordentlicher Professor und stieg 1913 zum Abteilungsleiter auf. 1917 ging er als Ordinarius an die Münchner Technische Hochschule, 1921 nahm er einen Ruf nach Freiburg an, kehrte aber vier Jahre darauf schon wieder nach München zurück, um Willstätter abzulösen, der bei seinem freiwilligen Rücktritt diese Nachfolge vorgeschlagen hatte. So wurde Wieland nach Liebig der dritte Direktor des Münchner Staatslaboratoriums. 1938 ging das Institut in die Verwaltung der Universität über. 1944 wurde das Gebäude durch Bomben zerstört; die Errichtung des Neubaus überließ Wieland seinem Schüler und Nachfolger Rolf Huisgen.

Nach eigenen Worten hat sich Wieland sehr bald vom Arbeitsgebiet seines Lehrers Baeyer gelöst. Doch war auch für ihn charakteristisch, sich stets mit den verschiedensten Problemen nebeneinander zu beschäftigen. Hauptthema waren zunächst orga-

nische Stickstoffverbindungen, Anlagerungsprodukte von Stickoxyden an Doppelbindungen*, Knallsäure, freie Radikale*. Später traten Naturstoffe und biologische
Prozesse in den Vordergrund. Lobelia-, Morphium-, Strychnos-Alkaloide, Kröten-
gift, die Giftstoffe des Knollenblätterpilzes, Pigmente der Schmetterlingsflügel wurden behandelt. Nachhaltig wirkten die Untersuchungen über den Mechanismus der
Oxydationsvorgänge auf die biochemische Forschung. Sie führten zur vieldiskutier-
ten »Dehydrierungstheorie«, wonach der oxydative Abbau in der Zelle im wesentlichen in einer Folge von Dehydrierungen besteht. 1912 begannen Wielands erfolgreichste Arbeiten, die Untersuchungen über die Gallensäuren. Die rätselhafte Fähigkeit der Desoxycholsäure und speziell ihrer Alkalisalze, mit Fettsäuren, aber auch
mit vielen anderen, darunter wasserunlöslichen Substanzen wie Campher, Strych-
nin, Cholesterin wasserlösliche Anlagerungsprodukte zu bilden, legten Vermutun-
gen nahe, die Funktion der Gallensäuren bestehe darin, wasserunlösliche Stoffe in
lösliche überzuführen, so daß sie durch die Darmwand in den allgemeinen Kreislauf
transportiert werden können. Die Konstitutionsaufklärung gewann damit an Bedeutung, um so mehr, als Windaus in Göttingen 1919 die Zugehörigkeit dieser
Stoffgruppe zu der im Tier- und Pflanzenreich weit verbreiteten Familie der Steroide nachweisen konnte. In mühseliger Kleinarbeit und in freundschaftlichem Gedankenaustausch mit Windaus und anderen Forschern gelang es Wieland und seinen
Mitarbeitern, Klarheit über die Struktur des 4gliedrigen Ringsystems* zu gewinnen,
das den einander sehr ähnlichen Gallensäuren zugrunde liegt. Als ihm 1928 der
Nobelpreis für das Jahr 1927 überreicht wurde, war die Konstitutionsfrage noch
nicht in allen Punkten gesichert. »Als ein langer, unsäglich ermüdender Marsch durch
eine dürre Strukturwüste stellte sich die Aufgabe dar«, sagt er in seinem Nobel-
Vortrag. Dennoch aber hat sich der Aufwand von so viel Mühe gelohnt, heißt es in
einem Übersichtsbericht 1934, als die Struktur der Gallenstoffe bereits endgültig
festliegt, wie grundsätzlich »alles, was die Natur in der lebenden Zelle schafft, des
stärksten Interesses des Chemikers würdig ist.« Die Gallensäuren und Sterine*, vor
20 Jahren noch »kleine Grüppchen unscheinbarer Naturstoffe«, waren inzwischen
zum Fundament eines der meist bearbeiteten Gebiete geworden, das über Vitamin D,
die Sexualhormone, die Krötengifte, die Herzgifte der Digitalis- und Strophanthus-
arten hinaus ständig weiterwuchs.

»Wenn ich mir ein Denkmal vorstelle, das eine dankbare Menschheit einmal Windaus*
errichten wird«, sagt Wilhelm Biltz 1941 in einer Ansprache zum 65. Geburtstag
seines Göttinger Kollegen, »so drängen sich darauf um seine Gestalt Scharen von
Kindern, die ihm Gesundheit und Heilung verdanken.« Biltz spielt hier auf das
Vitamin D an, das Schutzmittel gegen Rachitis, dem Windaus mehr als ein Jahrzehnt seiner Lebensarbeit gewidmet hat. »Bei keinem anderen Vitamin* ist die Forschung so eigenartige und verschlungene Wege gegangen«, sagte Windaus einmal
bei einer Rückschau. Er selbst wurde 1925 in die Untersuchungen einbezogen, als der
Physiologe Alfred Heß aus New York ihn als den »besten Kenner auf dem Gebiete
der Sterine« bat, sich an den Aufklärungsarbeiten über das Vitamin D zu beteiligen.
Daß der Lebertran den antirachitisch wirksamen Stoff enthält, war seit langem
bekannt. Aber in jüngerer Zeit war ein weiteres Heilmittel dazugekommen, die

Adolf Windaus

Adolf Windaus   1928

Bestrahlung des Patienten mit ultraviolettem Licht, und schließlich war durch Tierversuche nachgewiesen worden, daß schon das Bestrahlen der Nahrung genügte, um Heilerfolge zu erzielen. In der Haut der Menschen und der Tiere, aber auch in den Nahrungsmitteln mußte also eine Substanz, ein »Provitamin«, enthalten sein, das bei Bestrahlung in einen wirksamen Stoff überging. Analysen der Nahrungsmittel deuteten auf Sterine. So kam man auf Windaus.

Der »beste Kenner der Sterine« hatte sich diesen Ehrentitel in langer zielstrebiger Arbeit erworben. Den Medizinstudenten gewann Emil Fischers Vorlesung für die Chemie, der er nach bestandenem Physikum sich mehr und mehr zuwandte. 1903 habilitierte er sich in Freiburg mit der Schrift »Über Cholesterin«. Diese Substanz, von den Gallensteinen her lange bekannt, wegen ihres komplizierten Moleküls, $C_{27}H_{46}O$, aber in ihrer Struktur noch völlig unaufgeklärt, gehörte zur Gruppe der Sterine, die wegen ihrer weiten Verbreitung im Tier-, Pflanzen- und Pilzreich Windaus bedeutsam erschien. Sie wurde sein eigentliches Arbeitsgebiet. Durch planmäßige Abbau- und Aufbauversuche ist er dem chemischen Charakter dieser Naturstoffe nähergekommen. 1919 konnte er durch Überführungsreaktionen die lange vermutete Verwandtschaft zwischen Cholesterin und den physiologisch wichtigen Gallensäuren beweisen und als grundlegendes Strukturmodell der Sterinkörper ein viergliedriges Ringsystem vorschlagen, das, zwar später berichtigt, doch schon in wesentlichen Punkten mit dem heute gültigen Formelbild übereinstimmt. Inzwischen war Windaus 1915 als Nachfolger von Wallach nach Göttingen berufen worden. Als er 1928 den Nobelpreis erhielt, stand er mitten in den Vitaminforschungen, und er hatte bereits zwei Körper, das in den Hefezellen enthaltene Ergosterin und eine als Verunreinigung des Cholesterins auftretende Substanz, als »Provitamine« nachweisen können. Erst später gelang ihm die schwierige Konstitutionsaufklärung der wirksamen Stoffe, die daraus durch Bestrahlung hervorgingen. Er bezeichnete sie als Vitamin D_2 beziehungsweise D_3. Intensiv untersuchte er die Kette photochemischer Vorgänge, die über etliche Zwischenprodukte vom Ergosterin zum Vitamin D_2 führt. Als Krönung wurde 1936 in seinem Laboratorium aus Thunfischlebertran der antirachitisch wirksame Stoff gewonnen, der sich bisher allen Isolierungs- und Kristallisationsversuchen widersetzt hatte. Er stellte sich als identisch mit Vitamin D_3 heraus. Von da an drang die Sterinchemie unter Windaus' Führung in immer neue Gebiete vor. Herzgifte, Saponine, Hormone der Keimdrüsen und Nebennierenrinde wurden in die Gruppe der »Steroide« einbezogen, die Windaus um die Jahrhundertwende aus kleinen Anfängen erschlossen hatte.

Notizzettel Windaus' mit Bemerkungen
über ein Derivat des Colchicins

Hans Fischer   1930

Hans Fischers* Lebensarbeit galt den Blut- und den Blattfarbstoffen, ihrer Konstitutionsaufklärung* und ihrer Synthese*. Als er nach dem Studium der Chemie und der Medizin während Assistentenjahren an der Münchner Medizinischen Klinik mit diesem Problemkreis in Berührung kam, stand die Gruppe der natürlichen Farbstoffe, die für den Stoffwechsel eine Rolle spielen, gerade im Brennpunkt der Forschung. Koryphäen der Wissenschaft, unter ihnen Nencki, Küster und Willstätter, hatten grundlegende Erkenntnisse gewonnen. Das Molekülgerüst des eisenhaltigen Blutfarbstoffs, des Hämins, war aus Pyrrolkernen, stickstoffhaltigen 5-Ringen, aufgebaut. Aus dem Blutfarbstoff hatte man eisenfreie Abbauprodukte gewonnen. Sie gehörten einer Stoffgruppe an, die man aus biologischen Prozessen schon kannte, nämlich den Porphyrinen. Das Chlorophyll hatte sich als Magnesiumkomplex ergeben. Bei seinem Abbau war man ebenfalls auf Porphyrine gestoßen. Die enge chemische Verwandtschaft dieser beiden großen Gegenspieler in der Natur, deren einer am Sauerstofftransport und am energieliefernden Atemprozeß im tierischen Organismus teil hat, während dem anderen eine Hauptrolle bei der energiespeichernden Assimilation zukommt, hatte sich herausgestellt, ebenso aber die ungeheuren Schwierigkeiten, die sich einer vollständigen Aufklärung so komplizierter Verbindungen entgegenstellen mußten. Die chemische Zusammensetzung des Hämins lautet $C_{34}H_{32}O_4N_4Fe\,Cl$. Sie läßt unzählige Strukturformeln* zu. Wie sollte die richtige herausgefunden werden?

Fischer erkannte, daß nur auf breiter Versuchsbasis sichere Resultate erzielt werden konnten. 1916 wurde er nach Innsbruck, 1918 nach Wien als Professor für medizinische Chemie berufen. Aber erst als er 1921 Ordinarius für organische Chemie an der Technischen Hochschule in München wurde, ergab sich die Möglichkeit für einen umfangreichen, großzügigen Arbeitsplan. Das angestrebte Ziel war die Synthese des Hämins, darüber hinaus der Gallenfarbstoffe, von ihm als Abbauprodukte des Hämins erkannt, und des Blattfarbstoffs. Hinderlich stand im Wege die zu geringe Kenntnis der Pyrrolchemie*. Deren systematische Durchforschung war Fischers großes Vorhaben, das er mit seinem rasch wachsenden Mitarbeiterkreis bewältigte. Die Gallenfarbstoffe und die Porphyrine wurden eingehenden Analysen unterzogen. Parallel gingen Aufbauversuche aus den Zwischenkörpern. Die Verknüpfungsmöglichkeiten von Pyrrolkernen wurden systematisch durchprobiert. Die Zahl der Syntheseprodukte ging in die Tausende. Es gelang, sämtliche Spaltprodukte des Hämins zu synthetisieren, eine Fülle von Konstitutionen aufzuklären und 1928 zur Synthese des Hämins vorzudringen, die den Nobelpreis von 1930 einbrachte. In den folgenden Jahren wurde der Gallenfarbstoff Bilirubin dargestellt. Die Konstitution des Chlorophylls wurde ermittelt, die Synthese seiner wirksamen a-Komponente weit vorangetrieben und nach des Lehrers Tode von seinen Schülern vollendet.

Hans Fischer, ein anspruchsvoller Lehrer, lebte selbst fast nur der Forschung. Den Musen habe er die Gefolgschaft abgesagt gehabt, heißt es in einem Nachruf. Doch war er ein begeisterter Bergsteiger und Skifahrer, ein rasanter Autofahrer. Seine Schüler denken gern an die unbeschwerte Atmosphäre des Labors zurück, an die Geradlinigkeit und den trockenen Humor ihres Lehrers. Fischers selbstgewählter Tod am Ende des Zweiten Weltkrieges rief große Bestürzung hervor. Durch die Kriegszeit aufgezwungene Beschränkungen an Mitarbeitern und Hilfsmitteln hatten ihm hart zugesetzt. Die Aussichtslosigkeit, nach der fast völligen Zerstörung seines Instituts durch Bomben je wieder in der ihm gemäßen Art und Weise arbeiten zu können, ließ ihn diesen Schritt wählen.

Hans Fischer

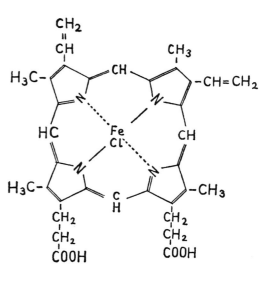

Formel des Hämins

Carl Bosch

Fritz Haber hatte am 2. Juli 1909 sein »Reagenzglas für Hochdruck« demonstriert, ein Erfolg, der die Badische Anilin- und Sodafabrik zu schnellem Handeln veranlaßte: Der damals 35jährige Carl Bosch* erhielt außergewöhnliche Vollmachten, das Habersche Verfahren zur Synthese des Ammoniaks aus den Elementen in großtechnische Maßstäbe zu übersetzen.

Besonders unangenehm war bei dieser Reaktion die Bewältigung der hohen Drucke; um eine genügende Ausbeute an Ammoniak zu erhalten, mußte man mindestens auf 200 Atmosphären gehen. Bei diesen Drucken reagiert aber der Wasserstoff – der sich ja mit dem Stickstoff verbinden soll – mit dem Kohlenstoff im Stahl der Druckrohre. Diese Schwierigkeit löste Bosch, indem er die Stahlrohre innen mit einem Futterrohr aus kohlenstofffreiem weichem Eisen auskleidete und darüber einen Mantel aus gewöhnlichem Stahl legte, der feine Bohrungen für den Durchtritt des Wasserstoffes enthielt.

1913 wurde in Oppau bei Ludwigshafen die erste große Syntheseanlage in Betrieb genommen; Erweiterungen wurden geplant. Da brach der Krieg aus.

Für Bosch gab es kein Überlegen. Gegenüber der Obersten Heeresleitung gab er sein berühmtes Salpeterversprechen: die Munitionsherstellung für die deutschen Truppen mit Hilfe von auf chemischem Wege hergestelltem Salpeter sicherzustellen. Mitten im Krieg wurde abermals eine eigene Großindustrie aufgebaut, die das im Haber-Bosch-Verfahren erzeugte Ammoniak durch katalytische Oxydation weiter zu Salpeter verarbeitete. Nur dadurch war das durch die alliierte Wirtschaftsblockade von den Weltmärkten abgeschnittene Deutsche Reich überhaupt in der Lage, den Krieg weiterzuführen. Bereits Ende 1915 wurden im Monatsdurchschnitt etwa 8000 t Salpeter erzeugt; 1916 wurden in Mitteldeutschland die Leunawerke Merseburg aus dem Nichts geschaffen.

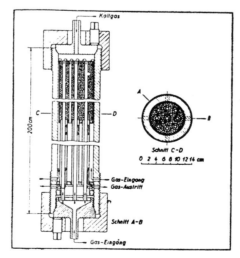

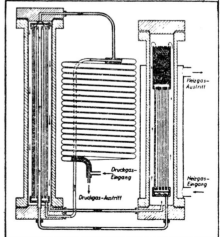

Kontaktofen für die Ammoniaksynthese vom Juli 1910

Kontaktofen mit Wärmeaustauscher für die Ammoniaksynthese vom November 1911

Die deutsche Salpeterindustrie im 1. Weltkrieg läßt sich nur mit dem Aufbau der großen amerikanischen Plutoniumwerke zur Atombombenherstellung im 2. Weltkrieg vergleichen. Die Skrupel und Gewissensqualen, wie sie uns von J. Robert Oppenheimer*, dem Vater der Atombombe, berichtet wurden, hat auch Carl Bosch, der Vater des Synthese-Salpeters, verspüren müssen. Die großen Hungersnöte von 1918 bis 1919 waren eine Mahnung und zugleich eine Erlösung für Bosch, für den es seiner Veranlagung nach nur einen Weg aus der Verzweiflung und Enttäuschung gab, den Weg des aktiven Handelns. Gegen alle Hindernisse, die die Nachkriegswirren auftürmten, brachte Bosch im besiegten Deutschland die Düngemittelerzeugung wieder in vollen Gang.

Bei dem Zusammenschluß der größten deutschen chemischen Werke zur I. G. Farbenindustrie hatte Bosch maßgeblichen Anteil. Als Vorsitzer des Vorstandes und später des Aufsichtsrates lenkte er jahrzehntelang die Geschicke der I. G.

In die Geschichte ist Bosch vor allem eingegangen als der Begründer der Düngemittelfabrikation, bei der, durch die Vermittlung der Nutzpflanze, tatsächlich »Brot aus Luft« erzeugt wird. Heute beträgt die Produktion von Stickstoffdüngemitteln auf der ganzen Welt etwa 65 Millionen Tonnen, eine Menge, die (bei ausreichendem Vorhandensein der anderen Elemente) auf Getreidefeldern zu einem Mehrertrag von über 200 Millionen Tonnen Mehl führt. Das bedeutet bei einer Brotration von 300 g pro Tag, daß damit etwa zwei Milliarden Menschen, zwei Drittel der Weltbevölkerung, ihr »tägliches Brot« erhalten können.

Von den zahlreichen Ehrenämtern, die Carl Bosch im Laufe seines Lebens übernahm, war das wichtigste die Präsidentschaft der Kaiser-Wilhelm-Gesellschaft. Am 1. April 1936 lief die Amtszeit Max Plancks ab, und die nationalsozialistische Regierung sah die Chance, an diese wichtige Stelle eine ihr genehmere Persönlichkeit zu bringen. Als sich aber der politisch einflußreiche Physiker Johannes Stark anbot, zögerte der zuständige Reichsminister: Stark war, obwohl alter Nationalsozialist, seines schwierigen Charakters wegen gefürchtet.

In diesem Augenblick stellte sich auf Bitten der Gesellschaft Carl Bosch zur Verfügung, der als Repräsentant der Industrie gegenüber der Regierung sehr unabhängig auftreten konnte. Der feierliche Amtsantritt des neuen Präsidenten Ende Mai 1937 war, wie der amerikanische Botschafter William E. Dodd berichtete, eine deutliche Demonstration, daß sich die Kaiser-Wilhelm-Gesellschaft, die Vorläuferin der heutigen Max-Planck-Gesellschaft, von der nationalsozialistischen Regierung so fern halten wollte wie nur möglich.

Friedrich Bergius   1931

Carl Bosch   1931

Im gleichen Jahr 1913, in dem es Carl Bosch geglückt war, das Habersche Verfahren der Ammoniaksynthese im großtechnischen Maßstabe zu verwirklichen, meldete Friedrich Bergius* sein erstes Patent an über die »Hydrierung« der Kohle zu erdölartigen Kohlenwasserstoffen. Wie das Haber-Bosch-Verfahren arbeitet auch das Verfahren von Bergius bei hohen Drucken; viele Jahre harten Experimentierens waren notwendig, um die richtigen Bedingungen und Katalysatoren zu finden. In seiner Versuchsanlage in Mannheim-Rheinau lernte Bergius langsam, die Reaktion des Wasserstoffes mit der in Öl aufgeschwemmten Kohle zu beherrschen.

Bergius hatte nicht nur technische Schwierigkeiten zu überwinden; auch die wissenschaftliche Gegnerschaft des »Kaiser-Wilhelm-Institutes für Kohleforschung«* in Mülheim wirkte sich hemmend aus. Die meiste Kraft aber beanspruchte es, die wirtschaftliche Basis für die Entwicklungsarbeit zu schaffen. Das von Bergius gegründete »Konsortium für Kohlechemie« konnte gegenüber den Großfirmen auf die Dauer keine Unabhängigkeit gewinnen. Zwar bewährte sich das Verfahren auch im großtechnischen Maßstab, aber Bergius war 1926 gezwungen, es gänzlich der I. G. Farbenindustrie zu überlassen. In dem Vertrag mit Bergius wurde dieser für zehn Jahre als Berater verpflichtet, aber von seinem Rate hat man nicht mehr Gebrauch gemacht. Anfang der dreißiger Jahre wurden die ersten großen Synthese-Anlagen in Betrieb genommen. In dem Streben nach Autarkie gewann bei der Erdölknappheit in Deutschland das Bergius-Verfahren rasch eine hervorragende wirtschaftliche – und im Kriege militärische – Bedeutung. In der Nähe der großen Braunkohlenlager entstanden zahlreiche »Hydrierwerke« mit einer Jahreskapazität von 3 bis 4 Millionen Tonnen Benzin.

Ebenso wie »Benzin aus Kohle« wollte Friedrich Bergius auch »Nahrung aus Holz« gewinnen, d. h. die Zellulose mittels konzentrierter Salzsäure in Traubenzucker überführen. Immer wieder hat Bergius sein Vermögen zur Verwirklichung seiner Ideen eingesetzt. Es war die Tragik dieses Erfinderlebens, daß sich die Ideen zwar als richtig erwiesen, aber zu spät oder in den Händen anderer.

Friedrich Bergius

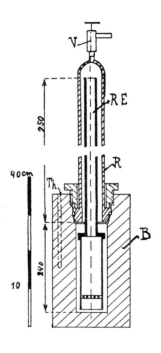

Oben: »Bombe« für die Kohlehydrierung aus dem Jahre 1914 Rechts: aus einem Brief Bergius' an Specht

Richard Kuhn

»Es ist nur natürlich, daß ich versucht habe, die Anzahl der Ihnen zuteil gewordenen Ehrungen in Erfahrung zu bringen und – annäherungsweise – zu erfassen, wie viele wissenschaftliche Abhandlungen Ihren Namen tragen. Beide Zahlen können nicht absolut durch mich verbindlich mitgeteilt werden; sie sind aber mit wenigstens 50 Ehrungen aller Formen, Stufen, Grade und mit wenigstens 650 Publikationen so exorbitant, daß ich im medizinischen Bereiche Vergleichbares nur von Rudolf Virchow* kenne.« Die Ansprache des Dekans der medizinischen Fakultät in Heidelberg aus Anlaß des 65. Geburtstags von Richard Kuhn* endet mit der Übergabe einer für diesen persönlich geschlagenen Münze, ein Zeichen der Dankbarkeit der Fakultät gegenüber dem Biochemiker, der »die Sehnsucht des wissenschaftlich aufgeschlossenen Arztes nach Belehrung durch den exakten Naturforscher«, den »Traum von einem goldenen medizinischen Zeitalter« der Erfüllung näher gebracht hat.

Richard Kuhn stammte aus Willstätters Schule. Der vielseitig interessierte Wiener Student, der auch eine Vorliebe für Archäologie hatte, wurde im Münchner chemischen Institut durch seines Lehrers damaliges Forschungsgebiet mit der Promotionsarbeit in die Enzym-Chemie* eingeführt. Kennzeichnend für ihn war seit Anbeginn die Neigung zu quantitativen Betrachtungen und die Einbeziehung medizinischer Gesichtspunkte. 1926, kurz nach der Habilitation, nahm er einen Ruf an die Technische Hochschule in Zürich an. Eine Aufforderung Ludolf v. Krehls*, Leiter der chemischen Abteilung des neu errichteten Kaiser-Wilhelm-Institutes für medizinische Forschung* in Heidelberg zu werden, ließ ihn 1929 nach Deutschland zurückkehren. Nach Krehls Tod, 1937, übernahm er die Direktion des gesamten Institutes. 1950 wurde er gleichzeitig Ordinarius für Biochemie an der medizinischen Fakultät.

Kuhns Untersuchungen gingen von den Naturstoffen aus, die für die biologischen Vorgänge innerhalb der Zelle eine Rolle spielen. Sie umfassen Vitamine*, Fermente*, die mit diesen in engem Zusammenhang stehenden Biokatalysatoren der Stoffwechselprozesse und deren chemischen Mechanismus, Befruchtungsvorgänge, stickstoffhaltige Zucker und deren Abkömmlinge, die für die Erforschung von Blutgruppen und Vererbungsfaktoren Bedeutung gewonnen haben, Antikörper gegen Bakterien

Dankesmünze für Richard Kuhn: eine in dieser Form bisher einmalige Ehrung eines Wissenschaftlers durch die Medizinische Fakultät der Universität Heidelberg

Richard Kuhn 1938

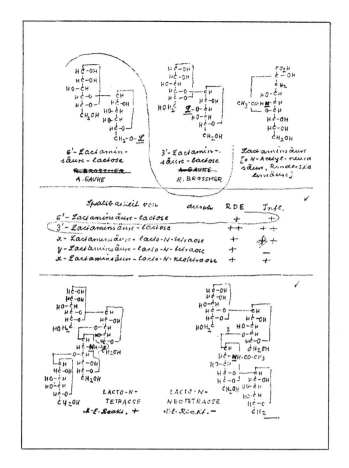

und Viren. 1939 erhielt Kuhn den Nobelpreis von 1938 für seine Arbeiten über Carotinoide und Vitamine. Die Carotinoide, Verwandte des Mohrrübenfarbstoffs Carotin und damit des Vitamin A, waren Polyene, Verbindungen mit aneinandergereihten konjugierten Doppelbindungen*. Kuhn führte eine systematische Untersuchung dieser Stoffgruppe durch, synthetisierte etwa 300 neue Körper, bearbeitete Carotinoide aus dem Tier- und Pflanzenreich und fand im γ-Carotin ein 3. Isomeres zu den bereits bekannten Komponenten α- und β-Carotin. In der Vitamin-B-Gruppe isolierte er das Vitamin B₂, das Lactoflavin (aus 5000 Litern Magermilch ungefähr ein Gramm), das sich als Baustein des Atmungsfermentes erwies. Erstmalig wurden damit Einblicke in die Wirkungsweise der Vitamine gewonnen. Später entdeckte er das Vitamin B₆. Ein als Vitamin H' bezeichneter Bakterienwuchsstoff stellte sich nach mühseliger Isolation aus Hefe als die bekannte p-Aminobenzoesäure heraus. Die Untersuchung ihrer Fähigkeit, die Bakterien unterdrückende Wirkung der Sulfonamide aufzuheben, hat zur Klärung von Wirkstoff-Antiwirkstoff-Mechanismen viel beigetragen. – Die Mitarbeiter kannten Kuhn als heiteren Menschen, der bei Violinspiel, Tennis, Schlittschuhlauf Entspannung suchte und, nicht ohne weiteres vermutbar, ein Meister in Schach und Billard war.

Zwei Fächern hatte Butenandt* schon während der Schulzeit sein besonderes Interesse zugewandt, der Chemie und der Biologie. Die Zweifel des Göttinger Studenten, wie er seine Neigungen einem einheitlichen Aufgabenfeld dienstbar machen könne, löste 1924 ein Vortrag von Windaus. In einem größeren Überblick über die Chemie des Cholesterins ließ der Vortragende deutlich werden, daß sich die Natur hier offenbar bestimmter Variationen des gleichen Grundmoleküls bedient, um in verschiedenen Tierklassen gleiche oder unterschiedliche Funktionen zu erfüllen. Ein großer Meister gewährte Einblick in die eigene Werkstatt. »Der Vortrag hatte mich nach Form und Inhalt angesprochen wie kein anderer in den verflossenen 6 Semestern; er stand am Anfang meines eigenen, bis dahin vergeblich gesuchten Weges in der naturwissenschaftlichen Forschung auf dem Grenzgebiet zwischen Chemie und Biologie.« Butenandt wurde Windaus' Schüler. Ein glückliches Zusammentreffen bot ihm bald nach der Promotion eine faszinierende Aufgabe. Vom Leiter des Forschungskreises der Schering AG, Professor Walter Schoeller, um Unterstützung bei der Isolierung und Konstitutionsaufklärung der weiblichen Sexualhormone gebeten, schlug Windaus seinen Assistenten Butenandt als Bearbeiter vor. Ein erfolgreiches Arbeitsbündnis kam zustande. Schon 1929 berichtete Butenandt in seinen »Untersuchungen über das weibliche Sexualhormon« von der Isolierung des kristallisierten Follikelhormons, später Oestron genannt, aus Schwangerenharn – sie gelang ihm gleichzeitig mit amerikanischen Forschern –, von den physiologischen Wirkungen dieses Hormons*, seiner Bruttoformel und seinem chemischen Charakter. In die folgenden Jahre fiel die Reindarstellung des Corpus-luteum-Hormons und des Androsterons, des ersten Stoffes mit den Wirksamkeiten des männlichen Sexualhormons. Durch Überführungsversuche und Partialsynthesen konnte er die chemische Verwandtschaft der Hormone untereinander nachweisen und sie der Gruppe der Steroide* zuordnen. Für diese Arbeiten erhielt Butenandt 1939 den Nobelpreis. Inzwischen war er 1933 einem Ruf nach Danzig gefolgt, um dort drei glückliche Jahre zu verbringen, die seinem Mitarbeiterkreis auch durch abendliches Schwimmen in der Ostsee und Morgen- und Mondscheinritte durch die umliegenden Wälder in Erinnerung geblieben sind. 1936 übernahm er das Kaiser-Wilhelm-Institut für Biochemie* in Berlin-Dahlem. Zusammenarbeit mit dem Zoologen Kühn, Direktor des Nachbarinstitutes für Biologie, brachte eine Erweiterung des Forschungsprogrammes. An den Augenfarbstoffen der Mehlmotte und der Taufliege konnte die Steuerung chemischer Vorgänge in der Zelle durch Erbfaktoren analysiert werden, und in den Ommochromen, verbreiteten Pigmenten des Insektenreiches, wurde eine neue Naturfarbstoffklasse

Adolf Butenandt

Formel des Corpus-luteum-Hormons

Adolf Butenandt   1939

entdeckt. Während des Krieges wurde das Institut nach Tübingen verlegt, 1949 in Max-Planck-Institut umbenannt, 1956 fand es in München seinen endgültigen Sitz. Langjährige Untersuchungsreihen, die teils bis auf die Berliner Zeit zurückgingen, erreichten in München Höhepunkte. So konnte das Hormon Ecdyson, das die Verpuppung und Häutung der Larven des Seidenspinners steuert, als erstes Insektenhormon in kristallisierter Form gewonnen werden. Der Sexuallockstoff des Seidenspinners, das Bombykol, durch dessen Duft die weiblichen Tiere die Männchen herbeilocken, wurde isoliert, in seiner Konstitution aufgeklärt und synthetisiert. 1960 wurde Butenandt zum Präsidenten der Max-Planck-Gesellschaft* gewählt. Damit legte er seine Lehrtätigkeit für physiologische Chemie, die er, wie schon in Tübingen, so auch in München ausgeübt hatte, nieder. Mit dem neuen Amt hat er entscheidenden Einfluß auf die Wissenschaftspolitik in der Bundesrepublik Deutschland gewonnen.

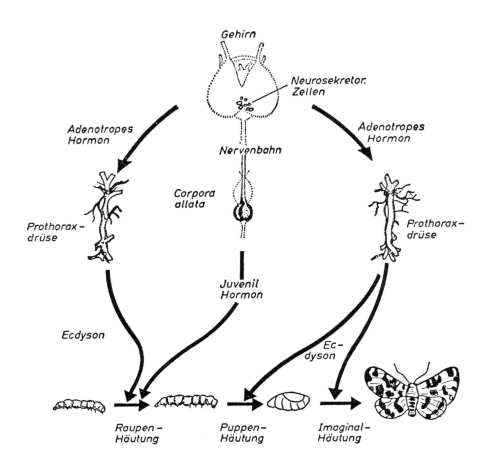

Zur Wirkung der Insektenhormone: die hormonliefernden Drüsen (oben) lösen die verschiedenen Häutungen aus (unten)

»Ich bin sehr frappiert gewesen über die Kühnheit, Geschicklichkeit und Ausdauer von Dr. Hahn* ... Wäre es möglich, daß er in Ihrem Laboratorium während ein paar Jahren arbeitet? Er ist ein netter Kerl, bescheiden, ganz zu vertrauen und hochbegabt; und er ist mir sehr lieb geworden. Er ist und will Deutscher bleiben; und er ist mit allen Untersuchungsmethoden der Radioaktivität vertraut. Würden Sie rathen, daß er zu Ihnen kommt? Ich weiß, daß Sie Ihr Laboratorium so vielseitig wie möglich machen wollen; haben Sie eine Ecke für ihn ...?«

Otto Hahn

Ehe er, mit solchen Worten von William Ramsay* bei Emil Fischer empfohlen, in das große Chemische Institut der Berliner Universität eintrat, ging Hahn erst noch für ein Jahr nach Montreal zu Rutherford*. Nach der Gründung der Kaiser-Wilhelm-Gesellschaft zur Förderung der Wissenschaften* und dem Bau des Kaiser-Wilhelm-Instituts für Chemie* in Berlin-Dahlem übernahm Hahn 1912 die Leitung der zunächst kleinen Radioaktiven Abteilung. Hier wurde die intensive wissenschaftliche Zusammenarbeit des chemisch ausgebildeten Otto Hahn mit der Physikerin Lise Meitner* intensiv fortgesetzt. Aus der Abteilung Hahn wurde die Abteilung Hahn (Chemie) und Meitner (Physik); schließlich wurde das ganze Kaiser-Wilhelm-Institut (an dem früher die organische Chemie die Hauptrolle gespielt hatte) ein Institut für Radiochemie und Kernphysik.

Nach der Entdeckung des Neutrons* gelang es, viele Kernprozesse mit diesem neuen Teilchen durchzuführen. Ende 1938 erhielten Otto Hahn und Fritz Straßmann* ganz ungewöhnliche Ergebnisse bei der Bestrahlung von Uran mit langsamen Neutronen: Die chemische Analyse ergab nicht, wie zunächst vermutet, Radium, sondern Barium: »... Wir kommen zu dem Schluß: Unsere ›Radiumisotope‹ haben die Eigenschaften des Bariums; als Chemiker müßten wir eigentlich sagen, bei den neuen Körpern handelt es sich nicht um Radium, sondern um Barium; denn andere Elemente als Radium und Barium kommen nicht in Frage ...

Was die ›Trans-Urane‹ anbelangt, so sind diese Elemente ihren niederen Homologen Rhenium, Osmium, Iridium, Platin zwar chemisch verwandt, mit ihnen aber nicht gleich. Ob sie etwa mit den noch niedrigeren Homologen Masurium, Ruthenium, Rhodium, Palladium chemisch gleich sind, wurde noch nicht geprüft. Daran

Berechnungen Hahns um 1953 über einen Indikatorversuch

159

Otto Hahn   1944

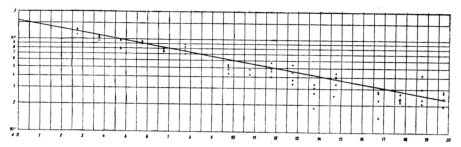

Zerfall des Uran-Isotopes U 237 von sieben Tagen Halbwertzeit

konnte man ja früher nicht denken. Die Summe der Massenzahlen Ba + Ma, also z. B. 138 + 101, ergibt 239! Als Chemiker müßten wir aus den kurz dargelegten Versuchen das oben gebrachte Schema eigentlich umbenennen ... und die Symbole Ba, La, Ce einsetzen. Als der Physik in gewisser Weise nahestehende ›Kernchemiker‹ können wir uns zu diesem, allen bisherigen Erfahrungen der Kernphysik widersprechenden Sprung noch nicht entschließen.«

Schon wenige Wochen später aber veröffentlichten Hahn und Straßmann den sicheren experimentellen Beweis für die bisher unvorstellbare Reaktion, die bei der Bestrahlung des Urans eingetreten war: Der Atomkern war in zwei fast gleichgroße Bruchstücke zerplatzt.

Die Entdeckung erregte eine Sensation. Nicht nur wird bei dem Prozeß eine ungewöhnlich große Energiemenge frei, sondern es entstehen auch zusätzliche Neutronen, wodurch sich die Möglichkeit einer »Kettenreaktion« abzeichnete. Am 2. Dezember 1942 gelang es einer amerikanischen Arbeitsgruppe unter Enrico Fermi* in Chicago erstmalig, im Atommeiler diese Kettenreaktion in Gang zu bringen. Am 6. und 9. August 1945 explodierten die ersten Atombomben über den japanischen Städten Hiroshima und Nagasaki.

Otto Hahn war über diese Anwendung seiner Entdeckung tief deprimiert. Wiederholt ergriff er in Sorge über die nun mögliche Selbstvernichtung des Menschen das Wort für eine nur friedliche Anwendung der Kernenergie.

Die Nachricht von der Verleihung des Nobelpreises erfuhr Otto Hahn während der von den ehemaligen Kriegsgegnern über ihn und andere deutsche Atomphysiker verhängten monatelangen Internierung in England. Über den 16. November 1945 berichtet das Tagebuch von Professor Bagge, einem Mitinternierten: »... Am Freitag vormittag, kurz nach dem Frühstück, saßen die meisten von uns im Salon ... als Heisenberg zu Hahn sagte: ›Herr Hahn, da lesen Sie mal!‹ Und damit überreichte er ihm den Daily Telegraph. Herr Hahn, der selbst gerade eifrig in einem anderen Blatte las, meinte: ›Ich hab jetzt gar keine Zeit.‹ ›Das ist aber sehr wichtig für Sie, da steht nämlich drin, daß Sie den Nobelpreis für 1944 erhalten sollen.‹ ...

Wir hatten inzwischen eine kleine Feier vorbereitet ... und noch während des Abendbrotes begann die Geschichte mit einer Festrede des Herrn Laue. Er feierte unseren Senior [Otto Hahn] gebührend, redete von Genie und Fleiß, und am Schluß kam er darauf zu sprechen, welche Gedanken wohl Frau Hahn jetzt in Deutschland bewegen mögen. Daraufhin verlas Heisenberg eine sehr lustige, von ihm selbst erfundene Sammlung von Zeitungsstimmen ... Weizsäcker* schloß sich an mit einem [erfundenen] Bericht aus der Frankfurter Zeitung mit der bemerkenswerten Überschrift: ›Von Goethe bis Hahn – zwei große Frankfurter.‹«

Aufnahme vom jährlichen Treffen der Nobelpreisträger in Lindau.
Von links: Richard Kuhn, der Initiator Graf Bernadotte, Richard L. M. Synge,
Linus Pauling, Otto Hahn, Karl Ziegler und Artturi Virtanen

Otto Diels

In der Gelehrtenfamilie Diels schlugen drei Brüder die Hochschullaufbahn ein. Der älteste wurde Botaniker, der zweite, Otto*, Chemiker, und der jüngste Slavist. Der Vater, der berühmte Altphilologe Hermann Diels, der durch sein Werk »Fragmente der Vorsokratiker« den Zugang zur altgriechischen Naturphilosophie erschlossen hat, war Gymnasiallehrer in Berlin und seit 1882, nach seiner Aufnahme in die Preußische Akademie der Wissenschaften, dort Universitätsprofessor. So war Berlin der Schauplatz für Diels' Schulzeit und auch für die Studienjahre, da die Persönlichkeit Emil Fischers ihn festhielt. Nach der Promotion blieb er weitere 17 Jahre im Fischerschen Institut, wurde Assistent und Dozent und 1914 außerordentlicher Professor. Er hatte ein ausgezeichnetes pädagogisches Talent. Sein Lehrbuch »Einführung in die organische Chemie«, seit 1907 vielmals aufgelegt, wurde für die Chemiestudierenden ein Begriff. 1916 wurde Diels als Ordinarius nach Kiel berufen. Nach dem Zweiten Weltkrieg nahm er als Emeritus nochmals Lehrverpflichtungen auf sich.

Diels hat der klassischen organischen Chemie sein Leben lang Treue bewahrt. Noch in die Berliner Zeit fällt die Entdeckung der merkwürdigen Kohlenstoff-Sauerstoff-Verbindung Kohlensuboxyd $C_3 O_2$. Zur Konstitutionsaufklärung des Cholesterins hat er einen entscheidenden Beitrag geliefert. Es glückte ihm, diesen Körper auf ein aromatisches Grundskelett zurückzuführen, und zwar mit der von ihm in die chemische Praxis eingeführten »Selen-Dehydrierung«. Seine große Tat ist die Entdeckung der »Dien-Synthese«, die ihm mit seinem Schüler Kurt Alder 1927/28 gelang. Beide wurden dafür 1950 mit dem Nobelpreis ausgezeichnet. Es handelt sich dabei um die Bildung eines sechsgliedrigen Kohlenstoffringes durch die unmittelbare Vereinigung von zwei ungesättigten Partnern. Der eine Partner, das »Dien«, enthält eine Kette* von vier Kohlenstoffatomen. In dieser Kette treten zwei »konjugierte« Doppelbindungen* auf. Das heißt, die mittelständigen Kohlenstoffe sind durch eine einfache Bindung verbunden, nach außen zu liegt je eine Doppelbindung. Der andere Partner, das »Philodien«, enthält eine Doppelbindung. Beim Schließen des Sechsringes werden zwei Doppelbindungen aufgehoben, eine bleibt erhalten. Die Synthese* beruht auf der Additionsfreudigkeit der Doppelbindungen. Die Leichtigkeit, mit der sie abläuft, macht sie zu einem der wichtigsten Werkzeuge der organischen Chemie.

LXXII, α   LXXII, β

Hauptformeln für die Diensynthese: der gemeinsamen Entdeckung durch Diels und Alder entsprechend auf der nächsten Seite fortgesetzt

Otto Diels   1950

Kurt Alder   1950

$$n = 1, 2, 3$$

LXXII

LXXIII

$$n = 1, 2, 3$$

Kurt Alder

»Daß meine Antwort auf die freundlichen Zeilen von Graf Bernadotte* vom Dezember 1957 nicht rechtzeitig erfolgt ist, bitte ich zu entschuldigen. Mein Zögern hat leider einen betrüblichen Grund. Die pausenlose und ständig wachsende Überforderung des aktiven deutschen Hochschullehrers ... hat in meinem Fall nach jahrelangem Raubbau meiner Kräfte zu Erschöpfungszuständen geführt, die mir den dringenden ärztlichen Rat eingetragen haben, mir vorerst absolute Schonung aufzuerlegen.« Es handelt sich um die Einladung zum Treffen der Nobelpreisträger in Lindau im Jahre 1958. Als Otto Hahn diesen Brief in Lindau verlas, war Kurt Alder*, erst fünfundfünfzigjährig, bereits verstorben.

Alder war gebürtiger Oberschlesier. Nach dem Ersten Weltkrieg wurde die Familie nach Kiel verschlagen. Dort wurde Alder ein Schüler von Otto Diels und blieb nach der 1926 überstandenen Promotion dessen Mitarbeiter. So wurde er mit den Problemen der Dien-Synthese vertraut, als diese noch in ihren ersten Anfängen steckte. Er hat mit großer Leidenschaft an ihrer Ausdeutung und ihrem Ausbau teilgenommen. »Der erste Eindruck«, sagt sein Kieler Schüler Gerhard Stein, »war unvermeidlich der eines ausgesprochen dynamischen Temperamentes, einer faszinierenden Begeisterungsfähigkeit. Der Mann brannte förmlich ...« Stets hat die Dien-Synthese ihre Anziehungskraft auf Alder bewahrt, auch nachdem er nach vierjähriger Tätigkeit als Abteilungsvorstand der IG Farbenindustrie, Werk Leverkusen, 1940 einen Ruf an die Universität Köln angenommen hatte. Vor allem ist er den Synthesemöglichkeiten auf den Grund gegangen. Er erkannte, daß die beiden Reaktionspartner, das Dien und das Philodien, ihre Konfiguration unverändert in den neugebildeten Körper einbringen und daß die Ringbildung ausbleibt, wenn wegen umfangreicher Addenden räumliche Behinderung besteht. Ein wichtiges Hilfsmittel zu Konstitutionsaufklärungen war damit gefunden, speziell für die Terpene, die mit ihren Brückenverbindungen der Dien-Synthese besonders zugänglich sind. Auch für die Untersuchung komplizierter Naturprodukte wie Ergosterin und der D-Vitamine wurde sie fruchtbar. Die Technik nahm sie in Anspruch zur Herstellung von Polyesterharzen, synthetischem Kautschuk, Farbstoffen, Schädlingsbekämpfungsmitteln, Textilhilfsmitteln, um nur einige Beispiele zu nennen. In die chemische Fachliteratur ist die Dien-Synthese als Diels-Alder-Reaktion eingegangen.

Hermann Staudinger   1953

Hermann Staudinger

»Als ich in den letzten Jahren meiner Züricher Tätigkeit die ... Untersuchungen [über Ketene, Diazoverbindungen usw.] immer mehr zurückstellte und nach Übernahme der Direktion des Chemischen Laboratoriums der Universität Freiburg im Jahre 1926 kaum Arbeiten auf diesem Gebiet fortführte, begegnete ich bei meinen Kollegen vielfach einer Skepsis. Diejenigen Fachgenossen, denen meine früheren Publikationen ... bekannt waren, fragten mich, warum ich diese schönen Arbeitsgebiete verlasse und mich mit so unerfreulichen und wenig definierbaren Verbindungen, wie mit Kautschuk und synthetischen Polymeren*, beschäftige, deren Verhalten man damals vielfach als Schmierenchemie bezeichnete.«

Die Moleküle dieser Stoffe sind außerordentlich groß, sie bestehen aus Zehntausenden, oft Hunderttausenden von Atomen, so daß Hermann Staudinger* für sie den Namen »Makromoleküle« prägte. Trotz der großen Unterschiede im Molekulargewicht von makromolekularen und niedermolekularen Stoffen sind beide in ihrem Aufbau gleich konstituiert. In allen Fällen sind nach Staudinger die Atome entsprechend den Gesetzen der Kekuléschen Strukturlehre* untereinander gebunden. Die kleinen Moleküle niedermolekularer Verbindungen sind mit einem Bauwerk aus 10 bis 100 Bausteinen zu vergleichen, die Makromoleküle sind »Wolkenkratzer«.

»Von der Beweiskraft ... unserer Versuche waren meine Mitarbeiter und ich überzeugt, doch standen wir damit allein da. Als Professor James B. Conant, der spätere amerikanische Botschafter in der Bundesrepublik Deutschland, mich im Jahre 1925 im Züricher Laboratorium besuchte, haben meine Mitarbeiter und ich ihm die Argumente für den makromolekularen Bau dieser Stoffe vorgetragen mit dem Erfolg, daß ihm bei einem anschließenden Besuch in Deutschland erklärt wurde, er möge kein Wort von den Anschauungen Staudingers glauben!«

Als Staudinger die Welt der makromolekularen Verbindungen zu erforschen begann, stand er vor einer Mauer der Ablehnung. Er ließ sich jedoch nicht beirren. Mit Unbeugsamkeit trat er für seine Gedanken ein, mit Leidenschaft warb er für seine Vorstellungen. Sein Optimismus spornte seine Mitarbeiter zu immer neuen Leistungen an.

Langsam überzeugten Staudingers Experimente. In engem Gedankenaustausch vor allem mit einigen Industriechemikern stehend, gelang es ihm, seine theoretischen Vorstellungen in der Praxis als richtig zu erweisen. Seit den dreißiger Jahren häufte dann die chemische Industrie auf dem Gebiet der Kunststoffe Erfolg auf Erfolg. Hatte Staudinger immer wieder das Glück, daß ihm von allen Seiten zahlreiche, hochbegabte Schüler zuströmten, so verließen sie ihn doch auch wieder, um anderswo selbständige Stellungen anzunehmen. Die geistige Übereinstimmung und enge Zusammenarbeit mit seiner Frau Magda vertiefte sich aber immer mehr im Laufe des langen Lebens: »Die ... biologischen Fragen wurden vor allem mit meiner Frau bearbeitet ... Sie hat mich auf die große Bedeutung der Gestalt der Makromoleküle für biologische Fragen aufmerksam gemacht und sich deshalb in ihren mikroskopischen Untersuchungen viel mit den übermolekularen Strukturen der Makromoleküle beschäftigt.«

Auch bei der Abfassung der zahlreichen Bücher und Zeitschriftenaufsätze, zusammen fast 500 Publikationen, hatte Magda Staudinger tätigen Anteil. Als Staudinger im Jahre 1953 der Nobelpreis für Chemie verliehen wurde, gedachte er dankbar vor allem der Mitarbeit seiner Frau.

Vernetzung von Polystyrolketten bei der Polymerisation des Styrols in Gegenwart von Divinylbenzol

Die Kunststoffindustrie hat in den vergangenen Jahren große Überraschungen erlebt. Katalysatoren von bisher ungekannter Wirksamkeit wurden entdeckt und brachten umwälzende Veränderungen mit sich. Die Geschehnisse nahmen 1953 ihren Ausgang vom Max-Planck-Institut für Kohlenforschung* in Mülheim/Ruhr, dessen Direktor Karl Ziegler* ist. Dort gelang es, das Äthylengas, ein Olefin, das sich bis dahin nur bei hohen Temperaturen und hohem Druck hatte polymerisieren lassen, jetzt bei mäßiger Temperatur und Normaldruck in einen hochmolekularen Kunststoff zu verwandeln. Der reaktionsfördernde Stoff war ein »Ziegler-Katalysator«, zunächst ein Aluminiumalkyl mit Zirkonsalz-Zusatz. Es folgten weitere Varianten, so daß heute allgemein Mischungen von Metallalkylen mit Verbindungen von Übergangsmetallen, wie Titan, Vanadin, Chrom oder Kobalt, als »Ziegler-Katalysatoren« bezeichnet werden. Die Zahl der Möglichkeiten ist unbeschränkt, da außer der Art auch das Mengenverhältnis der Komponenten eine Rolle spielt. Die große Bedeutung dieser Katalysatoren liegt in ihrer ausgeprägten »struktur- und stereospezifischen« Wirksamkeit. Man kennt nicht nur Spezialkatalysatoren, die die Gewinnung von nieder- oder hochmolekularen, von ketten- oder ringförmigen Verbindungen gestatten, auch der innere Aufbau der Moleküle läßt sich spezifizieren. Dies hat vor allem Professor Giulio Natta*, Mailand, erkannt, dem mit Ziegler zusammen der Nobelpreis für Chemie von 1963 verliehen wurde. Die Polymerisation des Propylens etwa läßt sich so lenken, daß die Methylgruppen alle nach einer Seite (isotaktisch) oder in regelmäßiger rechts-links-Folge (syndiotaktisch) oder rein zufällig (ataktisch) in der Kette angeordnet sind. Binnen weniger Jahre breitete sich die Welle der »Ziegler-Chemie« über alle Erdteile aus, ergriff Kunststoff- und Kunstfaser-, Kautschuk- und Waschmittelindustrie und viele andere Zweige.

Karl Ziegler

Modell eines Stückes isotaktischen Polypropylens

Ziegler will aber nicht als »makromolekularer Chemiker«, erst recht nicht als »Kunststoff-Fachmann« betrachtet werden. Er ist als Chemiker von der Theorie der freien Radikale* her an die metallorganischen Verbindungen herangegangen. Doch gerade die Behandlung grundsätzlich wissenschaftlicher Fragen mag letzten Endes der Anwendung so fruchtbaren Boden geschaffen haben. Ziegler wurden viele Ehrungen zuteil, als ungewöhnlichste gewiß die Ernennung zum Ehrenhäuptling der Ponca-Indianer, eine Aufmerksamkeit, die eine für ein Ziegler-Verfahren interessierte US-Firma anläßlich eines Besuches Zieglers in Ponca City, Oklahoma, veranlaßte.

Karl Ziegler   1963

Manfred Eigen   1967

Die klassische chemische Strukturlehre betrachtete das statische Verhalten der Moleküle und Kristalle. Es wurden so die Eigenschaften der »Ionenbindung«, der »homöopolaren Bindung« und der »Wasserstoffbrücken-Bindung« studiert. »Für den Ablauf chemischer Reaktionen«, konstatierte Manfred Eigen*, »ist aber das dynamische Verhalten der H-Brücken entscheidend.« Diese Reaktionen gehören zu den schnellsten Umsetzungen, deren Ablauf bisher als »unmeßbar kurz« galt.

Im Max-Planck-Institut für Physikalische Chemie* in Göttingen entwickelte Eigen, zuerst als Assistent, dann als Professor und Abteilungsleiter, experimentelle Methoden, um den Reaktionsmechanismus solcher extrem kurzzeitigen Vorgänge verfolgen zu können. Es ergaben sich dabei wesentliche Aufschlüsse über die verschiedensten chemischen Bindungsformen.

Von besonderem Interesse war auch hier die Anwendung auf die »Chemie des Lebendigen«: »Die Grundelemente technischer Regelung sind die Elektronenröhre, der Transistor oder andere trägheitslos arbeitende ›Schalter‹. Wir wissen, daß die Natur von diesen Schaltelementen keinen Gebrauch macht, obwohl auch sie in Zeiträumen von Millisekunden regelt, Informationen überträgt, verarbeitet und durch Reflexe beantwortet. Sie bedient sich dazu der Proteine, Nukleinsäuren und anderer Makromolekeln, die in hochdifferenzierten Strukturen in Kontakt mit Lösungen niedermolekularer Substanzen angeordnet sind. Will man den Gesamtmechanismus derartiger Vorgänge verstehen, so muß man die Funktion der einzelnen Elemente kennen, so wie man auch die Kennlinie einer Elektronenröhre aufnimmt, bevor man diese in einer Schaltung verwendet.«

Die Arbeiten Manfred Eigens fanden schon früh wissenschaftliche Anerkennung. »Längst gibt es Preise, die finanziell höher liegen als der Nobelpreis. Und dennoch erscheint er als einer der begehrenswertesten«, schrieb die Zeitschrift »Angewandte Chemie« zur Verleihung des Otto-Hahn-Preises 1962. Es scheint, daß man Eigen schon damals für »nobelpreisverdächtig« hielt.

Die Reise nach München zur Entgegennahme des Otto-Hahn-Preises anläßlich der Münchener Tagung der Gesellschaft Deutscher Chemiker im Jahre 1962 benutzte Manfred Eigen zu einer mehrwöchigen Arbeitsunterbrechung. In der so gewonnenen Muße steigerte er in täglich achtstündigen Übungen seine pianistische Virtuosität. Die Verleihung des Nobelpreises bietet ihm nun abermals die Möglichkeit, fernab von Göttingen in einer schönen Stadt seine Meisterschaft am Klavier zu vervollkommnen. Sollte er wirklich die Zeit dazu finden, woran freilich sehr gezweifelt werden muß, so wäre nicht auszuschließen, daß Eigen seinen zahlreichen wissenschaftlichen Auszeichnungen nun auch noch Kunstpreise anfügen kann.

Manfred Eigen

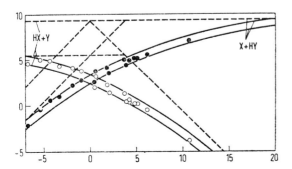

Mechanismus einer Wasserstoffübertragungs-Reaktion

Ernst Otto Fischer

392 Originalarbeiten weist das Schriftenverzeichnis von Ernst Otto Fischer bis zum 1. Oktober 1976 auf; den Anfang als Nummer 1 bildet die bei Walter Hieber an der Technischen Hochschule München angefertigte und im Auszug in der »Zeitschrift für anorganische und allgemeine Chemie« veröffentlichte Doktorarbeit (»Über den Mechanismus der Kohlenoxydreaktion von Nickel (II) — und Kobalt (II) — Salzen bei Gegenwart von Dithionit«). Bereits die Nummer 3 des Schriftenverzeichnisses — noch im Promotionsjahr 1952 publiziert — eröffnete ihm einen neuen Zweig der metallorganischen Verbindungen.

Der Anlaß zu dieser epochemachenden Arbeit war die Entdeckung des Dicylopentadienyl-Eisens $(C_5H_5)_2Fe$, auch Ferrocen genannt, durch T. J. Kealy und P. L. Pauson. Versuche, Kohlenmonoxyd anzulagern, gelangen nicht, auch nicht bei 150 Atmosphären Druck, was Fischer »eine andersartige Auffassung« über die Struktur der Verbindung nahelegte: »Es handelt sich unseres Erachtens hier um einen gänzlich neuartigen Typ eines Durchdringungskomplexes.« Später wurde die Struktur des Moleküls als »Sandwich« bezeichnet: In zwei Ebenen übereinander liegen die beiden Kohlenstoff-Fünfringe, dazwischen das zweiwertige Eisenatom: »Wichtiger Beweis für die Auffassung als Durchdringungskomplex ist das magnetische Verhalten.« Weitere Beweise lieferten die chemischen Eigenschaften und die Röntgenstrukturanalyse.

Zur gleichen Zeit — und ohne daß Ernst Otto Fischer zunächst davon wußte — führte an der Harvard University Geoffrey Wilkinson mit seinen Mitarbeitern ähnliche Versuche mit ähnlichen Ergebnissen durch. Fischer und Wilkinson legten in den nun folgenden Jahren ein ungeheures Arbeitstempo vor. Das Gebiet der Metallcyclopentadienyle wurde mit den modernsten präparativen und physikalisch-chemischen Methoden erschlossen.

Henri Moissan, der Nobelpreisträger von 1906, hatte schon Ende des 19. Jahrhunderts die anorganische Chemie als gänzlich unausgeschöpft bezeichnet. Fischer und Wilkinson bestätigten, daß auch in der 2. Hälfte des 20. Jahrhunderts noch weites, unbetretenes Neuland gefunden werden kann.

Nach der Verleihung des Nobelpreises hielt es Fischer für seine Pflicht, sich mit seinem neu gewonnenen Prestige gegen die von ihm für verhängnisvoll gehaltenen Tendenzen der Hochschulpolitik einzusetzen. »Was soll man von Staats wegen mit dem Forscher an der Hochschule machen?« fragte er in einem Vortrag am 30. Oktober 1975 in Mainz. Und seine Antwort: »Am besten: ihm ein Maximum an Freiheit lassen. Betreibt er seine Probleme doch dann aus Freude und ohne Abzählung seiner täglichen Arbeitsstunden. Man kann ihn aber auch, wie heute im Schwange, mehr und mehr einschnüren in Verfügungen, Kapazitätsberechnungen, Lehrdeputate, in Verwaltungsvorschriften, deren Erfüllung ihm am Schluß gar als Hauptaufgabe seines Berufes erscheint. Wo ist das Kultusministerium, das die Qualität der Forschung eines Hochschullehrers in Chemie beurteilen kann? Vorlesungsstunden sind natürlich leichter zu zählen. Man müßte endlich mit der Vorstellung Schluß machen, daß nur Juristen und Geisteswissenschaftler für die Spitzenpositionen in Kultusministerien in Frage kommen. Warum eigentlich? Naturwissenschaftler würden ganz gewiß auf die Forschungsleistung eines Hochschullehrers mehr Wert legen. Soll ich hier hinzufügen, daß G. Wilkinson, mein englischer Kollege von der Stockholmer Preisverleihung 1973, seit Jahren am Imperial College in London keine Vorlesungen mehr hält? Und das nicht erst seit 1973! Der Gesetzgeber sollte sich etwas mehr überlegen, wie Hochschullehrer am wirksamsten ihr Können für den Staat einsetzen sollen.«

Der 1918 in Solln bei München geborene Ernst Otto Fischer ist München und seiner
»alma mater«, der ehemaligen Technischen Hochschule und heutigen Technischen
Universität München treu geblieben. Hier studierte er von 1941 bis 1952 (mit einer
Unterbrechung durch Militärdienst und Kriegsgefangenschaft), hier promovierte er,
hier erwarb er die venia legendi, hier wurde er Dozent und Professor. Nach fünf-
jähriger Tätigkeit an der Universität München ging er 1964 wieder zurück an die
Technische Hochschule, um die Nachfolge Walter Hiebers anzutreten.

»Noch heute«, sagte Fischer 1974, »weiß ich meinem Lehrer in der Volksschule in
Solln tiefen Dank«, weil er die Liebe zur bayerischen Heimat gelehrt. Fischer be-
herzigte stets den Rat einer nach Amerika emigrierten Münchnerin, die er 1956 auf
dem bayerischen Volksfest in New York getroffen hatte: »Wenn du nicht mußt,
sollst du nie aus deiner Heimat für immer fortgehen.« So besteht die Hoffnung,
daß Ernst Otto Fischer der deutschen Wissenschaft und seiner Hochschule erhalten
bleibt — auch wenn er sich mitunter über die »Schwachheit«, den »Opportunismus«
und »oft genug einfach die Feigheit« von Professoren und Politikern empört.

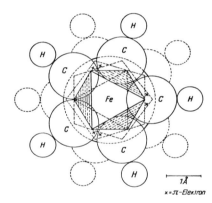

1Å
x = π-Elektron

*Darstellung einer Sandwich-Struktur aus der
Original-Veröffentlichung.*

nst Otto Fischer 1973

Georg Wittig 1979

„Ich kann, sozusagen, mein chemisches Wasser nicht halten und muß Ihnen sagen, daß ich Harnstoff machen kann, ohne dazu Nieren oder überhaupt ein Tier, sei es Mensch oder Hund, nötig zu haben." Das schrieb 1828 Friedrich Wöhler begeistert an Jöns Jacob Berzelius. Durch die künstliche Herstellung des „organischen" Harnstoffs wurde die verbreitete Lehre widerlegt, daß zum Aufbau der organischen Substanzen eine besondere „Lebenskraft" nötig sei.

Damit war auch die bisherige Trennung der Chemie in zwei Teile im Prinzip überwunden. Die ungeheuer rasche Vermehrung des chemischen Wissens, ablesbar etwa an der Zahl der bekannten Substanzen, bewirkte, daß die Einteilung trotzdem aus praktischen Gründen beibehalten wurde.

150 Jahre nach Wöhler erhielt Georg Wittig den Nobelpreis, weil er als Chemiker Stoffe machen konnte, die der Mensch weder mit seinen Nieren noch einem sonstigen Organ selbst machen kann, auf deren Zufuhr er aber angewiesen ist: die Vitamine. Zu solchen Synthesen benutzte Wittig neuartige Stoffe, die der herkömmlichen Einteilung nach zur organischen Chemie gerechnet werden müssen (weil sie nur Kohlenstoff, Wasserstoff und Stickstoff enthalten), die aber salzartigen Charakter besitzen und dieser Eigenschaft wegen eigentlich in die anorganische Chemie gehörten. Gemeint sind die Ylide.

Friedrich Wöhler, so könnte man vielleicht sagen, hat die Einheit von organischer und anorganischer Chemie im Prinzip verkündet. Georg Wittigs Lebensarbeit war es, die Stoffklassen zu erforschen, die an der Grenze der beiden Disziplinen stehen und damit konkret zu demonstrieren, daß die Grenze fließend ist.

Seit 1937 etwa stand im Mittelpunkt seines Interesses das Phenyllithium, eine Verbindung des Metalles Lithium mit Benzol. Es handelt sich dabei um eine typische „metallorganische Verbindung".

Nach der Erforschung der Eigenschaften und insbesondere des Reaktionsverhaltens wurde in seinen Händen das Phenyllithium zum Schlüssel zur Darstellung der Ylide. Die Moleküle dieser Stoffe enthalten eine Doppelbindung zwischen Kohlenstoff und Stickstoff, wobei die eine Valenz (ganz unüblich in der organischen Chemie) Ionen-Charakter besitzt: Der sich um das Stickstoffatom gruppierende Teil des Moleküls trägt positive Ladung, der andere Teil negative. Analoge Verbindungen gibt es, wenn an Stelle des Stickstoffes die chemisch verwandten Elemente Phosphor, Arsen, Antimon und Wismut stehen.

Wie beim Phenyllithium: Nachdem Wittig die Ylide selbst gebührend studiert hatte, wurden sie als Hilfsmittel der chemischen Synthese gebraucht. Und das ist die berühmte „Wittig-Reaktion": Das Ylid setzt sich mit bestimmten organischen Verbindungen (z. B. den Ketonen) derart um, daß eine längere Kette (mit einer Kohlenstoff-Doppelbindung) entsteht. So können aus einfach gebauten Molekülen höhere synthetisch dargestellt werden.

Georg Wittig gehörte zur Studenten-Generation unmittelbar nach dem Ende des Ersten Weltkrieges, die die verlorenen Jahre durch besondere geistige Intensität wettzumachen suchte. Sein Lehrer an der Universität Marburg Karl von Auwers war selbst ein Schüler August Wilhelm von Hofmanns und so kann auch Georg Wittig wie viele deutsche Chemiker mit Stolz seine „chemische Abstammung" in gerader Linie auf Justus von Liebig zurückführen, den großen Chemiker und Freund Friedrich Wöhlers.

Georg Wittig

Die Stationen seines Lebensweges waren Braunschweig, Freiburg, Tübingen und zuletzt Heidelberg. Wittig hat immer gerne mit Assistenten und Doktoranden zusammengearbeitet, am liebsten war ihm eine weder zu große, noch eine zu kleine Zahl. Ein Dutzend schien ihm das Optimum.

Im Blick auf die Liste der Laureaten haben viele Chemiker schon lange den Namen „Wittig" vermißt und ihn immer wieder vorgeschlagen. Die Verleihung 1979 kommt spät, aber nicht zu spät.

JUSTUS LIEBIGS
ANNALEN DER CHEMIE

572. Band

Einige Synthesen über Ylide

Von *Georg Wittig, Horst Tenhaeff, Walter Schoch*
und *Günter Koenig*

(Aus dem Chemischen Institut der Universität Tübingen)

(Eingegangen am 2. Dezember 1950)

Die Feststellung, daß Ylide mit beweglichen Gruppen am Stickstoff, z. B. das Dimethyl-benzyl-ammonium-fluorenylid (I), zur Isomerisation neigen[1]:

I

211. Georg Wittig und Ulrich Schöllkopf: Über Triphenyl-phosphin-methylene als olefinbildende Reagenzien (I. Mitteil.)

[Aus dem Chemischen Institut der Universität Tübingen]

(Eingegangen am 10. Juli 1954)

Bei der Umsetzung von Triphenyl-phosphin-methylen und seinen in der Methylengruppe substituierten Derivaten mit Aldehyden und Ketonen wird der doppelt gebundene Sauerstoff gegen die Methylenreste ausgetauscht, wobei Triphenyl-phosphinoxyd und die entsprechenden ungesättigten Verbindungen entstehen. Der mit dieser neuen Methode sich abzeichnende präparative Fortschritt liegt darin, daß die C=C-Bindung ohne Verschiebung am Ort der ursprünglichen C=O-Bindung ausgebildet wird.

Bei der Einwirkung lithiumorganischer Verbindungen auf Tetramethyl-ammoniumbromid bildet sich Trimethyl-ammonium-methylid:

$$[(CH_3)_4N]^{\oplus}Br^{\ominus} + R.Li \longrightarrow (CH_3)_3\overset{\oplus}{N}-\overset{\ominus}{C}H_2 + RH + LiBr .$$

Gustav Stresemann (1926)

Schriften: Reden und Schriften. 2 Bde. Dresden 1926 · Vermächtnis. Der Nachlaß Gustav Stresemanns. Hrsg. von H. Bernhard. 3 Bde. Berlin 1932–1933
Literatur: R. Olden: Stresemann. Berlin 1929 · W. Görlitz: Gustav Stresemann. Heidelberg 1947 · A. Thimme: Gustav Stresemann. Eine politische Biographie zur Geschichte der Weimarer Republik. Hannover-Frankfurt 1957 · G. Zwoch: Gustav Stresemann. Bibliographie. Düsseldorf 1953

Ludwig Quidde (1927)

Schriften: Die Entstehung des Kurfürstenkollegiums. 1884 · Caligula. Studie über römischen Cäsarenwahnsinn. 1894 · Der Fortschritt der Reichsidee in der Kulturentwicklung. 1911 · Völkerbund und Demokratie. 1920 · Völkerbund und Friedensbewegung. 1920 · Die Schuldfrage. 1922
Literatur: Ludwig Quidde. Ein deutscher Demokrat und Vorkämpfer der Völkerverständigung. Eingeführt und zusammengestellt von Hans Wehberg. Offenbach 1948

Carl von Ossietzky (1935)

Schriften: Zahlreiche Aufsätze und Artikel in »Das freie Volk«, »Berliner Volkszeitung«, »Das Tagebuch«, »Der Völkerfriede« und vor allem in »Die Weltbühne«
Literatur: Kurt R. Grossmann: Ossietzky. Ein deutscher Patriot. München 1963

Willy Brandt (1971)

Schriften: Draußen. Schriften während der Emigration. München 1966 · Friedenspolitik in Europa. Frankfurt 1968 · Der Wille zum Frieden. Perspektiven der Politik. Hamburg 1971 · Frieden. Reden und Schriften des Friedensnobelpreisträgers 1971. Bonn-Bad Godesberg 1971 · Über den Tag hinaus. Eine Zwischenbilanz. Hamburg 1974 · Begegnungen und Einsichten. Die Jahre 1960–1975. Hamburg 1976
Literatur: Hermann Schreiber/Sven Simon: Anatomie einer Veränderung. Willy Brandt. Düsseldorf 1970 · Harpprecht, Klaus (Herausgeber): Willy Brandt. Portrait und Selbstportrait. München 1970 · Lindlau, Dagobert (Herausgeber): Dieser Mann Brandt... Gedanken über einen Politiker von 35 Wissenschaftlern, Künstlern und Schriftstellern. München 1972 · Prittie, Terence: Willy Brandt. Biographie. Frankfurt a. M. 1973 · Stern, Carola: Willy Brandt in Selbstzeugnissen und Bilddokumenten. Reinbek 1975

Literatur

Die sehr ausführliche Bibliographie zu den Nobelpreisträgern der Literatur besorgte Bibliotheksreferendar Hans Schneider, Frankfurt/Main. Da der Zugang zum Werk der Literaturpreisträger dem Laien eher offensteht als zum Schaffen der Laureaten aus den naturwissenschaftlichen Disziplinen, schien es sinnvoll, an dieser Stelle eine gewichtigere Ergänzung zum Textteil zu schaffen.

Die Bibliographie gliedert sich in Gesamtausgaben, falls erschienen, in Hauptwerke mit Erscheinungsjahr und dem Jahr der letzten deutschen Ausgabe, gefolgt von der wichtigsten deutschsprachigen Literatur zu dem jeweiligen Lebenswerk und – soweit vorhanden – von einer weiterführenden Bibliographie.

Theodor Mommsen (1902)

Ausgabe: Ges. Schriften, 8 Bände Weidmann Berlin 1905–1913
Hauptwerke: Römische Geschichte, 4 Bände 1854–1885 (Band 1–3, Band 5); Ausz.: Das Weltreich der Cäsaren, Phaidon Köln 1955 · Corpus inscriptionum latinarum 1863 ff. · Römisches Staatsrecht, 3 Bände 1871–1888; Wissenschaftl. Buchgemeinschaft Darmstadt, Tübingen 1952 · Römisches Strafrecht 1899; unveränd. photomechan. Nachdr. Druck- u. Verl.-Anst. Graz 1955 · Reden und Aufsätze, Weidmann Berlin 1905
Literatur: Alfred Heuss, Th. M. und das 19. Jahrhundert 1956

Rudolf Eucken (1908)

Hauptwerke: Geschichte und Kritik der Grundbegriffe der Gegenwart, Veit Leipzig 1878 · Geschichte der philosophischen Terminologie 1879; unveränd. Nachdr. Gg. Olms Hildesheim 1960 · Die Einheit des Geisteslebens in Bewußtsein und Tat der Menschheit 1888; de Gruyter Berlin 1925 · Die Lebensanschauungen der großen Denker 1890; de Gruyter Berlin 1950 · Der Kampf um einen geistigen Lebensinhalt, Veit Leipzig 1896 · Der Wahrheitsgehalt der Religion, Veit Leipzig 1901 · Grundlinien einer neuen Lebensanschauung, Veit Leipzig 1907 · Der Sinn und Wert des Lebens, Quelle u. Meyer Leipzig 1908 · Erkennen und Leben, Quelle u. Meyer Leipzig 1912 · Mensch und Welt, Quelle u. Meyer Leipzig 1918
Literatur: M. Wundt, Rudolf Eucken 1927

Paul Heyse (1910)

Ausgaben: Ges. Werke, 38 Bände Cotta Stuttgart 1899–1914 · 15 Bände Cotta Stuttgart 1924 · Die Reise nach dem Glück. Eine Ausw. aus d. Werk, Cotta Stuttgart 1959
Novellen: Ges. Novellen, Ausw. in 5 Bänden Cotta Stuttgart 1924 · L'Arrabiata, Volk und Wissen Sammel-Bücherei Gruppe 1, Ser. H. Bd. 23 Berlin/Leipzig 1946 · Andrea Delfin, Iuventus-Bücherei, Reihe 1, Bd. 39 Sauerländer Verl. Aarau u. Frankfurt 1953
Tragödie: Kolberg 1865; Cotta Stuttgart 1936
Übersetzungen: Italienische Dichter seit der Mitte des 18. Jahrhunderts, Übersetzungen und Studien, 5 Bände Cotta Stuttgart 1889–1905
Erinnerungen: Jugenderinnerungen und Bekenntnisse 1901; Cotta Stuttgart 1912
Literatur: Überblick: Erich Petzet in: Deutsches Biographisches Jahrbuch 1 (1925), S. 25–41

Gerhart Hauptmann (1912)
Ausgaben: Ges. Werke, 6 Bände 1906; Erg.-Bde. 1. 2 1921 S. Fischer Berlin · Das ges. Werk (Ausgabe letzter Hand) 1. Abteilung 17 Bände S. Fischer Berlin 1942 · Ausgew. Werke, 5 Bände Bertelsmann Gütersloh 1952–1954 · Sämtliche Werke (Centenar-Ausgabe zum 100. Geburtstag) bish. ersch. Band 5 und 7, Propyläen Frankfurt, Berlin 1962
Hauptdramen: Vor Sonnenaufgang 1889; S. Fischer Berlin, Frankfurt 1942 · Die Weber 1892; Bertelsmann Textausgaben Gütersloh 1960 · Der Biberpelz 1893; Propyläen-Textausgaben Frankfurt, Wien 1960 · Hanneles Himmelfahrt 1893; Insel-Bücherei 180 Frankfurt 1960 · Florian Geyer 1895; Reclams Universal-Bibliothek 7841/7842 Stuttgart 1962 · Die versunkene Glocke 1896; Das kleine Buch 114 Bertelsmann Gütersloh 1958 · Fuhrmann Henschel 1898; Propyläen-Textausgaben Berlin, Frankfurt, Wien 1960 · Michael Cramer 1900; Reclams Universal-Bibliothek 7843 Stuttgart 1961 · Rose Bernd 1903; Propyläen-Textausgaben Berlin, Frankfurt, Wien 1960 · Und Pippa tanzt 1906; Propyläen-Textausgaben Berlin, Frankfurt, Wien 1960 · Die Ratten 1911; Propyläen-Textausgaben Berlin, Frankfurt, Wien 1960 · Vor Sonnenuntergang 1932; Propyläen-Textausgaben Berlin, Frankfurt, Wien 1960 · Die Atriden-Tetralogie 1941–1948, Gesamtausgabe 1956; Propyläen Verl. Berlin, Frankfurt, Wien 1959
Epos: Des großen Kampffliegers, Landfahrers, Gauklers und Magiers Till Eulenspiegel Abenteuer, Streiche, Gaukeleien, Gesichte und Träume 1928; Propyläen Verl. Berlin, Frankfurt, Wien 1959
Roman: Der Narr in Christo Emanuel Quint 1910; Propyläen Verl. Berlin, Frankfurt, Wien 1961
Novellen: Bahnwärter Thiel 1896; Reclams Universal-Bibliothek 6617 Stuttgart 1961 · Der Ketzer von Soana 1918; Propyläen Verl. Berlin, Frankfurt, Wien 1959
Reise und Betrachtung: Griechischer Frühling 1908; S. Fischer Berlin 1933
Literatur: H. v. Hofmannsthal, G. H. zu s. 60. Geburtstag, Neue Rundschau 1922 · H. Mann, Der begnadete Dichter 1932 · C. Hill, Drei Nobelpreisträger: Hauptmann, Mann, Hesse 1948 · J. Gregor, G. H. Das Werk u. unsere Zeit 1952 · H. H. Borcherdt, G. H. u. seine Dramen in: Dt. Lit. im 20. Jahrh. 1955 · C. Zuckmayer, G. H. in: Die großen Deutschen IV 1957 · W. Muschg in: Die Zerstörung der dt. Literatur 3. Aufl. 1958, S. 141–153 · G. H. 1862–1946. Literatur von u. über Hauptmann 1961 · E. Ebermayer, H. Eine Bildbiographie 1962 · K. L. Tank, G. H. in Selbstzeugnissen und Bilddokumenten 1962 · G. Hauptmann-Jahrbuch 1937 ff.
Weiterführende Bibliographie: M. Pinkus u. V. Ludwig, G. Hauptmann-Bibliographie 1932

Thomas Mann (1929)
Ausgaben: Stockholmer Gesamtausg. der Werke (Werke in Einzelbänden) S. Fischer Frankfurt 1952 ff. · Gesammelte Werke in 12 Bänden, S. Fischer Berlin, Frankfurt 1960 · Gesamtausg. Erzählungen 1958; Sämtliche Erzählungen. Die Bücher der Neunzehn 98 S. Fischer Frankfurt 1963
Romane: Die Buddenbrooks, 2 Bände 1901; G. B. Fischer Berlin, Frankfurt 1962 · Königliche Hoheit 1909; G. B. Fischer Berlin, Frankfurt 1960 · Der Zauberberg, 2 Bände 1924; G. B. Fischer, Berlin, Frankfurt 1962 · Lotte in Weimar 1939; Fischer-Bücherei 300 Frankfurt, Hamburg 1959 · Doktor Faustus 1947; (Die neue Serie) S. Fischer Frankfurt 1960 · Joseph und seine Brüder (Tetralogie 1933–1943): Gesamtausgabe 2 Bände 1952; in: Stockholmer Ges. Ausg. 1962 · Die Bekenntnisse des Hochstaplers Felix Krull. Der Memoiren 1. Teil 1954; G. B. Fischer Berlin, Frankfurt 1962

Novellen: Tonio Kröger 1903; S. Fischer Schulausgaben Frankfurt 1962 · Der Tod in Venedig 1913; Der Tod in Venedig u. andere Novellen, (Deutsche Volksbibliothek) Aufbau-Verl. Berlin 1962 · Mario und der Zauberer 1930; S. Fischer Schulausgaben Frankfurt 1963 · Die vertauschten Köpfe. Eine indische Legende 1940; Bermann-Fischer Amsterdam 1949 · Das Gesetz 1943; Bermann-Fischer Stockholm 1944 · Die Betrogene 1953; S. Fischer Frankfurt 1954
Essays (Sammlungen): Die Forderung des Tages, (Gesammelte Werke) S. Fischer Berlin 1930 · Adel des Geistes 1945; in: Stockholmer Ges. Ausg. 1959 · Altes und Neues 1953; in: Stockholmer Ges. Ausg. 1961 · Neue Studien, Suhrkamp Berlin, Frankfurt 1948 · Nachlese Prosa 1951–1955, in: Stockholmer Ges. Ausg. 1956
Politische Schriften: Friedrich und die große Koalition 1916; S. Fischer Berlin 1931 · Betrachtungen eines Unpolitischen 1918; in: Stockholmer Ges. Ausg. 1956 · Deutsche Ansprache. Ein Appell an die Vernunft. Rede, S. Fischer Berlin 1930 · Ein Briefwechsel, Oprecht Zürich 1937 · Achtung, Europa! Aufsätze zur Zeit, Bermann-Fischer Stockholm 1938 · Das Problem der Freiheit. Rede, Schriftenreihe »Ausblicke« Bermann-Fischer Stockholm 1939 · Deutsche Hörer. 25 Rundfunksendungen nach Deutschland 1940–1942, 1942; Bermann-Fischer Stockholm 1945 · Deutschland und die Deutschen. Rede, Bermann-Fischer Stockholm 1947 · Meine Zeit. Vortrag, S. Fischer Frankfurt 1950
Literatur: K. Kerényi, Romandichtung und Mythologie. Ein Briefwechsel mit T. M. 1945 · M. Rychner, Zeitgenöss. Lit. 1947, S. 217–241 · C. Hill, Drei Nobelpreisträger: Hauptmann, Mann, Hesse 1948 · M. Rychner, Welt im Wort 1949, S. 349–394 · G. Lukacs, T. M. 1949, 5. Aufl. 1957 · H. Mayer, T. M. Werk und Entwicklung 1950 · H. Stresau, T. M. und sein Werk 1955 · R. Faesi, T. M. 1955 · B. Allemann, Ironie u. Dichtung 1956, S. 137–176 · E. Heller, T. M., der ironische Deutsche 1959 · F. Strich, Kunst u. Leben 1960 · K. Kerényi, Gespräch in Briefen 1960 · P. Altenberg, Die Romane T. M.s 1961
Weiterführende Bibliographie: H. Bürgin, Das Werk T. M.s 1959

Hermann Hesse (1946)
Gesamtausgaben: Ges. Schriften, 6 Bände 1952; 7 Bände Suhrkamp Frankfurt 1957 · Ges. Werke in Einzelausgaben Suhrkamp Berlin u. Frankfurt 1953 ff.
Romane: Peter Camenzind 1904; in: Ges. Werke in Einzelausg. 1962 · Unterm Rad 1906; Suhrkamp Berlin 1956 · Demian 1919; Bibliothek Suhrkamp 95 Frankfurt 1962 · Der Steppenwolf 1927; Suhrkamp Hausbuch Frankfurt 1961 · Narziß und Goldmund 1930; Fischer Bücherei 450 Frankfurt u. Hamburg 1962 · Das Glasperlenspiel, 2 Bände 1943; in: Ges. Werke in Einzelausg. 1962 · Berthold. Ein Romanfragment, Fretz u. Wasmuth Zürich 1945
Erzählungen: Knulp 1915; Bibliothek Suhrkamp 75 Frankfurt 1962 · Schön ist die Jugend 1916; Bibliothek Suhrkamp 65 Frankfurt 1962 · Klingsors letzter Sommer 1916; Insel-Bücherei 502 Frankfurt 1963 · Siddharta. Eine indische Dichtung 1922; in: Ges. Werke in Einzelausg. 1962 · Weg nach Innen 1931; Suhrkamp Frankfurt 1947 · Traumfährte 1945; in: Ges. Werke in Einzelausg.
Gedichte: Musik des Einsamen 1916; Salzer Heilbronn 1957 · Trost der Nacht in: Ges. Werke, S. Fischer Berlin 1929 · Vom Baum des Lebens. Ausgew. Gedichte, Inselbücherei 454 Frankfurt 1961 · Die Gedichte 1942; Nachdr. in: Ges. Werke in Einzelausg. 1957
Selbstdarstellung: Krisis, Ein Stück Tagebuch, S. Fischer Berlin 1928 · Wanderung. Aufzeichnungen, Suhrkamp Berlin 1949
Literatur: H. Ball, H. H. Sein Leben und sein Werk 1927, 7. Aufl. 1957 · A. Goes, Rede auf H. H. 1946 · E. R. Curtius in: Merkur 1

(1947), S. 170–185 · C. Hill, Drei Nobelpreisträger: Hauptmann, Mann, Hesse 1948 · H. Bode, H. H. Variationen über einen Lieblingsdichter 1948 · R. B. Matzig, H. H. Studien zu Werk und Innenwelt des Dichters 1949 · W. Kohlschmidt, Entzweite Welt 1953 · R. Pannwitz, H. H.s west-östliche Dichtung 1957 · H. H. Eine Chronik in Bildern 1959
Weiterführende Bibliographie: S. Unseld, Das Werk von H. H. 2. Aufl. 1955

Nelly Sachs (1966)
Werke: In den Wohnungen des Todes. Aufbau, Berlin 1947. 1.–20. T., 78 S. · Sternverdunkelung. Gedichte. Bermann-Fischer, Amsterdam 1949. 82 S. · Eli. Ein Mysterienspiel vom Leiden Israels, hg. Walter A. Berendsohn. Subskriptionsausgabe, 200 Ex., Stockholm 1951. 75 S., mit einer Zeichnung · Ariel. Leben unter Bedrohung. Darmstadt 1956 · Und niemand weiß weiter. Gedichte. Heinrich Ellermann, Hamburg und München 1957. 100 S. · Flucht und Verwandlung. Gedichte. Deutsche Verlags-Anstalt, Stuttgart 1959. 72 S. · Fahrt ins Staublose. Die Gedichte der Nelly Sachs. Suhrkamp, Frankfurt am Main 1961. 403 S. · Zeichen im Sand. Die szenischen Dichtungen der Nelly Sachs. Suhrkamp, Frankfurt am Main 1962. 359 S. · Ausgewählte Gedichte. Nachwort: H. M. Enzensberger, Suhrkamp, Frankfurt am Main 1963. 1.–10. T., 99 S. · Das Leiden Israels. Eli / In den Wohnungen des Todes / Sternverdunkelung. Nachwort: Werner Weber, Suhrkamp, Frankfurt am Main 1963. 15.–19. T., 179 S. · Glühende Rätsel. Gedichte. Insel-Verlag, Frankfurt am Main 1964. 56 S. · Späte Gedichte. Flucht und Verwandlung / Fahrt ins Staublose / Noch feiert Tod das Leben / Glühende Rätsel 1–3. Suhrkamp, Frankfurt am Main 1965. 1.–5. T., 221 S. · Sprechplatte. 15 Gedichte aus Fahrt ins Staublose, 36 Gedichte aus Glühende Rätsel. Suhrkamp, Frankfurt am Main 1965 · Landschaft aus Schreien. Ausgewählte Gedichte von Nelly Sachs. Auswahl und Nachwort: Fritz Hofmann, Aufbau, Berlin 1966. 112 S. · Eli. Ein Mysterienspiel vom Leiden Israels. In: Deutsches Theater, Deutsche Buchgemeinschaft, Darmstadt 1966 · Die Suchende. Ein Gedichtzyklus. Suhrkamp, Frankfurt am Main 1966. 8 Blatt
Arbeiten über ihre Dichtung: Nelly Sachs zu Ehren. Gedichte, Prosa. Frankfurt am Main 1961. 106 S. · P. Walter Jacob, Uraufführung von Nelly Sachs' Mysterienspiel vom Leiden Israels. Blätter der Städtischen Bühnen Dortmund 1961/62. Nr. 13 (15. März 1962), 16 S. Beiträge von Nelly Sachs, Walter A. Berendsohn, Martin Buber · Karl Schwedhelm, Jenseits der Qual. Der deutsche Buchhandel, Mitteilungen für die Presse, Frankfurt am Main 166a, 3/65 · Siegfried Unseld, Begegnung mit Nelly Sachs. Der deutsche Buchhandel, Mitteilungen für die Presse, Frankfurt am Main 166a, 3/65 · Nelly Sachs, Ansprachen anläßlich der Verleihung des Friedenspreises des Deutschen Buchhandels. Börsenverein, Frankfurt am Main 1965. 52 S. Inhalt: Heinrich Lübke, Friedrich Wittig, Willi Brundert, Werner Weber · Zur Verleihung des Friedenspreises 17. 10. 1965. Beiträge von Horst Bienek, Klaus Herrmann, Rolf Italiaander, P. Walter Jacob, Georg Ludwig Jost, Georg Ramseger, Charlotte Schifflen, Konrad Wünsche. Der deutsche Buchhandel, Mitteilungen für die Presse, Frankfurt am Main 174, 12/65 · Friedenspreisträgerin des Deutschen Buchhandels 1965. Ein Bücherverzeichnis, hg. von den Volksbüchereien der Freien Hansestadt Bremen mit Proben ihrer Lyrik. Bearbeitung Helga Kaether. Bremen 1965. 12 S. · Paul Kersten, Dissertation über die Bildersprache der Dichterin Nelly Sachs. Hamburg 1966 · Ezra Sussmann über die dramatischen Werke von Nelly Sachs. In: Der hebräische Dichter und Theaterkritiker, Israel 1966 · Gisela Dischner, Dissertation über die Lyrik der Nelly Sachs. Frankfurt am Main (in Vorbereitung) · Konrad

Wünsche, Ritzdorf bei Bonn, über die dramatischen Werke der Nelly Sachs (in Vorbereitung) · Rosita Catte, Ravenna, Dissertation bei Professor Paoli. Bologna (in Vorbereitung) · Olof Lagercrantz, Versuch über die Lyrik von Nelly Sachs. Wahlström & Widstrand, Stockholm (in Vorbereitung). Deutsche Übertragung in der edition suhrkamp, Frankfurt am Main · P. Kurz, Nelly Sachs in: Über moderne Literatur, Josef Knecht, Frankfurt/Main, 1967
Weiterführende Bibliographie: Nelly Sachs zu Ehren. Zum 75. Geburtstag, 10. 12. 1966, Gedichte, Beiträge, Bibliographie. Suhrkamp, Frankfurt 1966

Böll Heinrich (1972)
Gesamtausgabe: Heinrich Böll Werke 1–5, Köln 1977. Band 6–9 in Vorbereitung
Romane: Wo warst du, Adam? Roman. Opladen: Middelhauve 1951 · Und sagte kein einziges Wort. Roman. Köln, Berlin: Kiepenheuer & Witsch 1953 · Haus ohne Hüter. Roman. Köln, Berlin: Kiepenheuer & Witsch 1954 · Billard um halbzehn. Roman. Köln, Berlin: Kiepenheuer & Witsch 1959 · Ansichten eines Clowns. Roman. Köln, Berlin: Kiepenheuer & Witsch 1963 · Gruppenbild mit Dame. Roman. Köln, Berlin: Kiepenheuer & Witsch 1971
Erzählungen: Der Zug war pünktlich. Erzählung. Opladen: Middelhauve 1949 · Wanderer, kommst Du nach Spa... Erzählungen. Opladen: Midelhauve 1950 · Die schwarzen Schafe. Erzählung. Opladen: Middelhauve 1951 · Nicht nur zur Weihnachtszeit. Eine humoristische Erzählung. Frankfurt/ M.: Frankfurter Verl.-Anst. 1952 · Das Brot der frühen Jahre. Erzählung. Köln, Berlin: Kiepenheuer & Witsch 1955 · So ward Abend und Morgen. Erzählungen. Zürich: Verlag Die Arche 1955. (= Die kleinen Bücher der Arche 200) · Unberechenbare Gäste. Heitere Erzählungen. Zürich: Verlag Die Arche 1956. (= Die kleinen Bücher der Arche 219–220) · Irisches Tagebuch. Köln, Berlin: Kiepenheuer & Witsch 1957 · Im Tal der donnernden Hufe. Erzählung. Wiesbaden: Insel-Verl. 1957. (= Insel-Bücherei 647) · Doktor Murkes gesammeltes Schweigen und andere Satiren. Köln, Berlin: Kiepenheuer & Witsch 1958. 157 Seiten. (= Die kleine Kiepe) · Erzählungen. Opladen: Middelhauve 1958 · Die Waage der Baleks. Ernste und heitere Kurzgeschichten. Lübeck: Matthiesen 1958 · Der Mann mit den Messern. Mit einem autobiographischen Nachwort. Stuttgart: Reclam 1959. (= Reclams Universal-Bibliothek 8287) · Der Bahnhof von Zimpren. Erzählungen. München: List 1959. 152 Seiten. (= List-Bücher 138) · Erzählungen, Hörspiele, Aufsätze. Köln, Berlin: Kiepenheuer & Witsch 1961. (= Bücher der Neunzehn 77) · Als der Krieg ausbrach. Als der Krieg zu Ende war. Zwei Erzählungen. Frankfurt/ M.: Insel-Verlag 1962. (= Insel-Bücherei 768) · Heinrich Böll 1947–1951. Der Zug war pünktlich. Wo warst du, Adam? und 26 Erzählungen. Köln: Middelhauve 1963 · Die Essenholer und andere Erzählungen. Frankfurt/M.: Hirschgraben-Verlag 1963. (= Hirschgraben-Lesereihe 1.26) · Entfernung von der Truppe. Erzählung. Köln, Berlin: Kiepenheuer & Witsch 1964. (= Die kleine Kiepe) · Die Erzählungen. Nachwort von Hans Joachim Bernhard. Leipzig: Insel-Verlag 1966 · Ende einer Dienstfahrt. Erzählung. Köln, Berlin: Kiepenheuer & Witsch 1966 · Geschichten aus zwölf Jahren. Frankfurt/M.: Suhrkamp 1969. (= Bibliothek Suhrkamp 221) · Erzählungen 1950 bis 1970. Köln: Kiepenheuer & Witsch 1972 · Die verlorene Ehre der Katharina Blum oder: Wie Gewalt entstehen und wohin sie führen kann. Erzählung. Köln: Kiepenheuer & Witsch 1974
Hörspiele: Die Spurlosen. Nachwort von Rudolf Walter Leonhardt. Hamburg: Hans-Bredow-Institut 1957. (= Hörwerke der Zeit 9)

Bilanz. Klopfzeichen. Zwei Hörspiele. Mit Nachwort von Werner Klose. Stuttgart: Reclam 1963. (= Reclams Universal-Bibliothek 8846) ·Zum Tee bei Dr. Borsig. Acht Hörspiele. München: Deutscher Taschenbuch Verlag 1964. (= dtv-Taschenbücher 200) · Hausfriedensbruch. Hörspiel. Aussatz. Schauspiel. Köln, Berlin: Kiepenheuer & Witsch 1969. (= pocket 4)

Reden und andere Schriften: Hierzulande. Aufsätze zur Zeit. München: Deutscher Taschenbuch Verlag 1963. (= Sonderreihe dtv 11) · Frankfurter Vorlesungen. Köln, Berlin: Kiepenheuer & Witsch 1966. (= Essay 7) · Die Freiheit der Kunst. (Dritte) Wuppertaler Rede. Berlin: Voltaire-Verlag 1967. (= Voltaire-Flugschriften 4) · Aufsätze, Kritiken, Reden. Köln, Berlin: Kiepenheuer & Witsch 1967 · Georg Büchners Gegenwärtigkeit. Eine Rede. Berlin: Verlag der Wolff's Bücherei 1967. (= Druck der Friedenauer Presse) · Leben im Zustand des Frevels. Ansprache zur Verleihung des Kölner Literaturpreises. Berlin: Hessling 1969. (= Handpressendrucke 24) · Freies Geleit für Ulrike Meinhof. Ein Artikel und seine Folgen. Zusammengestellt von Frank Grützbach. Mit Beiträgen von Helmut Gollwitzer, Hans G. Helms, Otto Köhler. Köln: Kiepenheuer & Witsch 1972. (= pocket 36) · Zwei Reden anläßlich der Verleihung des Nobelpreises für Literatur in Stockholm am 10. Dezember 1972. (Rede Karl Magner, Rede Heinrich Böll). Köln: Kiepenheuer & Witsch 1972 · Les prix nobel en 1972. Versuch über die Vernunft der Poesie. Nobelvorlesung von Heinrich Böll. Copyright The Nobel Foundation 1973. (Ohne Seiten angabe) · Neue politische und literarische Schriften. Köln: Kiepenheuer & Witsch 1973 · Heinrich Böll, Dorothee Sölle, Lucas Maria Böhmer: Politische Meditationen zu Glück und Vergeblichkeit. Darmstadt: Luchterhand 1973. (= Reihe Theologie und Politik Band 3)

Literatur: Hermann Stresau: Heinrich Böll. Berlin: Colloquium Verlag 1964. (= Köpfe des XX. Jahrhunderts Band 33) · Interpretationen zu Heinrich Böll. Verfaßt von einem Arbeitskreis. Kurzgeschichten I. München: R. Oldenbourg 1965. (= Interpretationen zum Deutschunterricht. Herausgegeben von Rupert Hirschenauer und Alfred Weber) · Dasselbe. Kurzgeschichten II. München: R. Oldenbourg 1965 · Wilhelm Johannes Schwarz: Der Erzähler Heinrich Böll. Seine Werke und Gestalten. Bern, München: Francke 1967. Dritte erweiterte Auflage 1973 · Günther Wirth: Heinrich Böll. Essayistische Studie über religiöse und gesellschaftliche Motive im Prosawerk des Dichters. Berlin: Union Verlag 1967 · Marcel Reich-Ranicki (Herausgeber): In Sachen Böll. Ansichten und Einsichten. Köln, Berlin: Kiepenheuer & Witsch 1968. (Liegt auch als dtv-Taschenbuch Band 730 vor) · Klaus Jeziorkowski: Rhythmus und Figur. Zur Technik der epischen Konstruktion in Heinrich Bölls »Der Wegwerfer« und »Billard um halbzehn«. Bad Homburg v. d. H.: Gehlen 1968. (= Ars Poetica, Abteilung 2: Studien Band 4) · Hans Joachim Bernhard: Die Romane Heinrich Bölls. Gesellschaftskritik und Gemeinschaftsutopie. Berlin: Rütten & Loening 1970. (= Germanistische Studien). 2., durchgesehene und erweiterte Auflage 1973 · Manfred Windfuhr: Die unzulängliche Gesellschaft. Rheinische Sozialkritik von Spee bis Böll. Stuttgart: Metzler 1971. (= Texte Metzler 19) · Text + Kritik. Zeitschrift für Literatur. Herausgegeben von Heinz Ludwig Arnold. Heft 33: Heinrich Böll. Januar 1972. 2. Auflage: März 1974. München: Boorberg 1972. (= Edition Text + Kritik) · Peter Leiser: Böll: Das Brot der frühen Jahre. Ansichten eines Clowns u. a. Dichterbiographie und Interpretation. Hollfeld/Oberfranken: Beyer 1974. (= Analysen und Reflexe) · Die subversive Madonna. Ein Schlüssel zum Werk Heinrich Bölls. Herausgegeben von Renate Matthaei. Köln: Kiepenheuer & Witsch 1975. (= pocket 59)

Weiterführende Bibliographie: Der Schriftsteller Heinrich Böll. Ein biographisch-bibliographischer Abriß. Neu herausgegeben und ergänzt von Werner Lengning. München: Deutscher Taschenbuch Verlag 1969.

Bei den bibliographischen Angaben zu den Nobelpreisträgern aus den naturwissenschaftlichen Bereichen wurde ein etwas anderer Weg beschritten als bei der ausführlichen bibliographischen Ergänzung zum Abschnitt Nobelpreisträger der Literatur. Dem interessierten Leser soll die Möglichkeit gegeben werden, die in der vorliegenden Publikation nur andeutungsweise geschilderten Tatsachen sowie gedanklichen und persönlichen Zusammenhänge weiter zu verfolgen, ohne sich jedoch in dem weiten Bereich der Fachdisziplinen zu verlieren. Daher nennt das Literaturverzeichnis nur wenige, ausgewählte Titel, hauptsächlich solche, die leicht zu beschaffen sind.

Nach Nobelpreis und Verleihungsjahr geordnet verzeichnet die Bibliographie an erster Stelle die Arbeiten des Laureaten, die vornehmlich zur Verleihung des Preises Veranlassung gegeben haben. Falls leichter zugängliche Wiederabdrucke dieser Arbeiten oder Gesamtausgaben veranstaltet wurden, sind diese genannt. Anschließend ist die wichtigste Literatur über die Laureaten verzeichnet; hierher gehören auch Autobiographien, falls sie nicht schon in die Nachdrucke der Werke mit aufgenommen sind.

Sammelbiographien und Nachschlagewerke sind als selbstverständlich nicht eigens aufgeführt. Hier kommt vor allem in Betracht:

Poggendorffs Biographisch-Literarisches Handwörterbuch der exakten Naturwissenschaften
Dictionary of Scientific Biography (14 Bde.)
Neue Deutsche Biographie (bisher erschienen A—K)
Brockhaus-Enzyklopädie (20 Bde.)
Die großen Deutschen
Ebenso selbstverständlich sind als Quellenschriften die Publikationen der Nobelstiftung herangezogen, vor allem die in Stockholm erscheinenden Jahrbücher »Les Prix Nobel« und »Nobel: The Man and his Prize. Amsterdam 1962«.

Über Ergebnisse der Forschungen in den Archiven der Nobelstiftung informieren:
Carl Gustav Bernhard, Elisabeth Crawford et al.: Science, technology and society in the time of Alfred Nobel (= Nobel Symposium 52). Oxford 1982; Günter Küppers, Peter Weingart und Norbert Ulitzka: Die Nobelpreise in Physik und Chemie 1901–1929, Materialien zum Nominierungsprozeß (= Report Wissenschaftsforschung 23). Bielefeld 1982; Elisabeth Crawford: Arrhenius, the atomic hypothesis, and the 1908 Nobelprizes in physics and chemistry. Isis 75 (1984) S. 503–522.

Medizin

Emil von Behring (1901)
Die Blutserumtherapie. Leipzig 1892
H. Unger: Unvergängliches Erbe, das Lebenswerk Emil von Behrings. Oldenburg und Berlin 1940
H. Zeiss u. R. Bieling: Behring. Gestalt und Werk. 2. Aufl. Berlin 1941
R. Bieling: Der Tod hatte das Nachsehen. Emil von Behring. Gestalt und Werk. 3. Aufl. Bielefeld 1954.

Robert Koch (1905)
Gesammelte Werke hrsg. v. J. Schwalbe, Leipzig 1912
B. Heymann: Robert Koch. Leipzig 1932
J. Kathe: Robert Koch und sein Werk. Berlin 1961
B. Mölers: Robert Koch, Persönlichkeit und Lebenswerk 1943–1910. Hannover 1950

Paul Ehrlich (1908)
Gesammelte Arbeiten zur Immunitätsforschung. Berlin 1904
H. Loewe: Paul Ehrlich, Schöpfer der Chemotherapie. Große Naturforscher Bd. 8. Stuttgart 1950
M. Marquardt: Paul Ehrlich. Berlin, Göttingen, Heidelberg 1951
H. Satter: Paul Ehrlich, Leben – Werk – Vermächtnis, München 1962

Albrecht Kossel (1910)
Über die chemische Beschaffenheit des Zellkerns. Münchner medizin. Wochenschrift 58 (1911) S. 65–69
O. Riesser: Albrecht Kossel. Deutsche medizin. Wochenschrift 53 (1927) S. 1441
O. Cohnheim: Albrecht Kossel. Münchner medizin. Wochenschrift 57 (1910) S. 2644–2645
S. Edlbacher: Albrecht Kossel zum Gedächtnis. Hoppe-Seyler's Zeitschrift f. physiologische Chemie 177 (1928) S. 1–14

Otto Meyerhof (1922)
Die chemischen Vorgänge im Muskel und ihr Zusammenhang mit Arbeitsleistung und Wärmebildung. Monogr. Gesamtgeb. Physiol. Pflanzen u. Tiere Bd. 22. Berlin 1930
H. H. Weber: Nachruf auf Otto Meyerhof. Deutsche medizin. Wochenschrift 77 (1952) S. 281
Eine Todesanzeige. Gegenwart 7 (1952) S. 261–262

Otto Heinrich Warburg (1931)
Sauerstoffübertragende Fermente der Atmung. Angew. Chemie 45 (1932) S. 1–6

Photosynthese. Angew. Chemie 69 (1957) S. 627–634
C. Oppenheimer: Otto Warburg und die Zellatmung. Deutsche medizin. Wochenschrift 46 (1931) S. 1949–1950
F. Kaudewitz: Otto Warburg. In: Via Triumphalis. München u. Wien 1954. S. 188–211

K. Thomas: Otto Warburg zum achtzigsten Geburtstag. Naturwiss. 50 (1963) S. 629–630
Hans Krebs: Otto Warburg, Zellphysiologe, Biochemiker, Mediziner, Stuttgart 1979

Hans Spemann (1935)
Experimentelle Beiträge zu einer Theorie der Entwicklung. Berlin 1936
H. Spemann: Forschung und Leben. Stuttgart 1943
H. Bautzmann: Hans Spemann zum Gedächtnis. Morphol. Jahrb. 87 (1942) S. 1–26
O. Mangold: Hans Spemann. Große Naturforscher 11. Stuttgart 1953

Gerhard Domagk (1939)
Chemotherapie bakterieller Infektionen. 3. Aufl. Leipzig 1944
Ärzte unserer Zeit in Selbstdarstellungen. Gerhard Domagk. Hippokrates Stuttgart 32 (1961) S. 773–776
Gedächtnisfeier der Universität Münster für Gerhard Domagk. Schr. d. Ges. z. Förderung d. Westf. Wilhelms-Universität z. Münster Bd. 57. Münster 1965
A. Dabelow: Nachruf auf Gerhard Domagk. Jahrb. 1965 Akademie der Wissenschaft und der Literatur Mainz. Mainz (1966) S. 46–50

Werner Forßmann (1956)
Die Sondierung des rechten Herzens. Klinische Wochenschrift 8 (1929) S. 2085–2087
Nobelpreisträger Werner Forßmann. Ärztl. Mitteilungen 41 (1956) S. 905–906

Werner Forßmann, Triangel 1 (1954) S. 153–154
P. Kleemann: Das Herz wird sichtbar. In: P. Kleemann: Das heilende Messer. Darmstadt 1957. S. 129–137
Feodor Lynen (1964)

Acetyl coenzyme A and the »fatty acid cycle«. Harvey Lectures 48 (1952/53) S. 210–244
Feodor Lynen und Konrad Bloch. Münchner medizin. Wochenschrift 35 (1965) S. 1666–1669
E. Böhm (Hrsg.): Forscher und Gelehrte. Stuttgart 1966. S. 148–150

Georges Köhler 1984
Köhler, Georges und Milstein, César: Continuous Cultures of Fused Cells Secreting Antibody of Predefined Specificy, Nature 256 (1975) 495–497
Becker, Andreas und Neumeier, Reinhard: Monoklonale Antikörper, Biologie in unserer Zeit 14 (1984) 72–77
Neumeier, Reinhard: Monoklonale Antikörper in Biologie und Medizin. Biologie in unserer Zeit 14 (1984) 97–101

Physik

Wilhelm Conrad Röntgen (1901)
Über eine neue Art von Strahlen. Würzburg 1895
O. L. Glasser: Wilhelm Conrad Röntgen und die Geschichte der Röntgenstrahlen. 2. Aufl. Berlin 1959
F. Dessauer: Die Offenbarung einer Nacht. Leben und Werk von Wilhelm Conrad Röntgen. Frankfurt am Main 1958
Wilhelm Conrad Röntgen 1845–1923. Inter Nationes Bonn und Heinz Moos Verlag München 1973

Philipp Lenard (1905)
Wissenschaftliche Abhandlungen aus den Jahren 1886–1932. 3 Bde. Leipzig 1942–1944
C. Ramsauer: Physik – Technik – Pädagogik. Erfahrungen und Erinnerungen. Karlsruhe 1949. S. 102, 106–119

Karl Ferdinand Braun (1909)
Über drahtlose Telegraphie. Physik. Zeitschrift 2 (1903) S. 2
Über rationelle Sendeanordnungen für drahtlose Telegraphie. Physik. Zeitschrift 2 (1901) S. 373–374
F. Kurylo: Ferdinand Braun. Leben und Wirken des Erfinders der Braunschen Röhre. München 1965.
J. Zenneck: Erinnerungen eines Physikers. München 1960. S. 80–94

Wilhelm Wien (1911)
Temperatur und Entropie der Strahlung. Annalen der Physik 52 (1894) S. 132–165
Ueber die Energievertheilung im Emissionsspectrum eines schwarzen Körpers. Ann. d. Physik 58 (1896) S. 662–669
W. Wien: Aus dem Leben und Wirken eines Physikers. Leipzig 1930

Max von Laue (1914)
Gesammelte Schriften und Vorträge. 3 Bde. Braunschweig 1961
Die großen Deutschen unserer Epoche. Herausgegeben von L. Gall. Propyläen Verlag, Berlin 1985, S. 45–56

Max Planck (1918)
Max Planck. In Selbstzeugnissen und Bilddokumenten. Dargestellt von Armin Hermann. (Rowohlts Bildmonographien = rm 198) Reinbek 1973

Johannes Stark (1919)
J. Stark, P. S. Epstein: Der Stark-Effekt [Wiederabdruck der nobelpreisgekrönten Arbeiten]. Dokumente der Naturwissenschaft. Bd. 6
A. Hermann: Albert Einstein und Johannes Stark. Briefwechsel und Verhältnis der beiden Nobelpreisträger. Sudhoffs Archiv 50 (1966) S. 267–285

Albert Einstein (1921)
R. W. Clark: Albert Einstein. Leben und Werk. Esslingen 1974
B. Hoffmann: Albert Einstein. Schöpfer und Rebell, Dietikon-Zürich 1976

A. Pais: »Subtle is the Lord . . .« The Science and the Life of Albert Einstein. Oxford 1982
A. Einstein: Über den Frieden. Weltordnung oder Weltuntergang. Bern 1975

James Franck (1925)
J. Franck u. G. Hertz: Die Elektronenstoßversuche [Wiederabdruck der nobelpreisgekrönten Arbeiten]. Dok. d. Nat.-Wiss. Bd. 9
G. Hertz: James Franck. † 21. 5. 1964. Ann. d. Physik 15 (1965) S. 1–4
M. Born u. W. H. Westphal: James Franck. Physikal. Blätter 20 (1964) S. 324–334

Gustav Hertz (1925)
Artur Lösche, Erinnerungen an Gustav Hertz und seine Leipziger Zeit. Wiss. Zeitschrift der Karl-Marx-Universität Leipzig. Math.-Naturw. Reihe. Jg. 25 (1976) S. 467–471
Artur Lösche, Gustav Hertz. Jahrbuch 1976–77. Sächs. Akademie der Wissenschaften. Leipzig 1979, S. 213–220

Werner Heisenberg (1932)
Werner Heisenberg. In Selbstzeugnissen und Bilddokumenten. Dargestellt von Armin Hermann. (Rowohlts Bildmonographien = rm 240) Reinbek 1976
A. Hermann: Die Jahrhundertwissenschaft. Werner Heisenberg und die Physik seiner Zeit. Stuttgart 1977

Max Born (1954)
M. Born. Ausgewählte Abhandlungen. 2 Bde. Göttingen 1963
M. Born: Physik im Wandel meiner Zeit. 4. Aufl. Braunschweig 1966
M. Born: Recollections. Bulletin of the Atomic Scientists 21 (1965) Nr. 7–9
A. Hermann: Max Born – Eine Biographie. Dok. d. Nat.-Wiss. Bd. 1. S. 1–33
M. Born: Mein Leben. Die Erinnerungen des Nobelpreisträgers. München 1975

Walter Bothe (1954)
W. Bothe u. H. Becker: Künstliche Erregung von Kern-γ-Strahlen. Zeitschr. f. Physik 66 (1930) S. 289–306
W. Bothe u. H. Becker: Die in Bor und Beryllium erregten γ-Strahlen. Zeitschr. f. Physik 76 (1932) S. 421–438
R. Fleischmann: Walter Bothe und sein Beitrag zur Atomkernforschung. Naturwiss. 44 (1957) S. 457–460.
Ders.: Zur Entdeckungsgeschichte der künstlichen Kern-γ-Strahlung. Naturwiss. 38 (1951) S. 465–467

Rudolf Mößbauer (1961)
R. L. Mößbauer: Kernresonanzfluoreszenz von Gammastrahlung in Ir^{191}. Zeitschr. f. Physik Bd. 151 (1958) S. 124–143
Th, Mayer-Kuckuk: Die Geburt des Mößbauer-Effekts. Kleine Geschichte einer großen Entdeckung. Physikal. Blätter 18 (1962) S. 9–13
H. Frauenfelder: The Mößbauereffect. New York 1962

Hans Jensen (1963)
J. H. D. Jensen u. M. Goeppert-Mayer: Elementary Theory of Nuclear Shell Structure. New York 1955
H. Petersen: Heidelbergs achter Nobelpreisträger. Heidelberger Fremdenblatt. Dezember 1963. S. 5

Klaus von Klitzing (1985)
Ernst Dreisigacker: Herzlichen Glückwunsch! Ein Gespräch der Redaktion mit Nobelpreisträger Klaus von Klitzing. Physikal. Blätter 41 (1985) S. 353–356
Gottfried Landwehr: Zur Entdeckung des Quanten-Hall-Effektes. Physikal. Blätter 41 (1985) S. 357–362
Uli Deker und Wolfram Knapp: Mit Kurven im Kopf . . . das Unerwartete gefunden. Bild der Wissenschaft 12/1985, S. 124–134

Ernst Ruska (1986)
25 Jahre Elektronenmikroskopie. Elektrotechnische Zeitschrift 25 (1957) S. 531–543
Ernst Brüche: Gedanken zum 25-jährigen Bestehen des Elektronenmikroskops. Physikalische Blätter 13 (1957) S. 493–500
Uli Deker: Ruskas Welt, die keiner wollte. Bild der Wissenschaft 23 (1986) S. 51–57

Gerd Binnig (1986)
Sensationelle Technik. Das Raster-Tunnel-Mikroskop. Bild der Wissenschaft 18 (1982), H.7, S. 94–102
Wolfram Knapp: Der Mann, der uns Atome zeigt. Bild der Wissenschaft 23 (1987), H.12, S. 59–66
Werner Martienssen: Raster-Tunnel-Mikroskopie. Physikalische Blätter 42 (1986) S. 369–371

Chemie

Emil Fischer (1902)
Gesammelte Werke, hrsg. von M. Bergmann. Berlin 1922–1924
E. Fischer: Aus meinem Leben, hrsg. von M. Bergmann. Berlin 1922
K. Hoesch: Emil Fischer, Sein Leben und sein Werk. Berichte d. Dt. Chem. Gesellschaft 54 (1921) Sonderheft

Adolf v. Baeyer (1905)
Gesammelte Werke. 2 Bde. Braunschweig 1905
A. v. Baeyer: Erinnerungen aus meinem Leben. In: Gesammelte Werke, Bd. I 1905. S. VII–LV
R. Willstätter: Erinnerungen an Adolf v. Baeyer. In: Aus meinem Leben. Weinheim 1949. S. 103–146
K. Schmorl: Adolf von Baeyer. 1935–1917 (= Große Naturforscher. Bd. 10). Stuttgart 1952

Eduard Buchner (1907)
Alkoholische Gärung ohne Hefezellen. Berichte d. Dt. Chem. Gesellschaft 30 (1897) S. 117–124
E. Buchner, H. Buchner, M. Hahn: Die Zymasegärung. München und Berlin 1903
C. Harries: Eduard Buchner. Berichte d. Dt. Chem. Gesellschaft 50. Bd. II (1917) S. 1843–1876

Wilhelm Ostwald (1909)
Über Katalyse. Ostwalds Klassiker d. exakten Naturwissenschaften. Nr. 200. Leipzig 1923
W. Ostwald: Lebenslinien, eine Selbstbiographie. 3 Tle. Berlin 1926/27
G. Ostwald: Wilhelm Ostwald, mein Vater. Stuttgart 1953

Otto Wallach (1910)
Terpene und Campher. Leipzig 1909
Walter Hückel: Otto Wallach. Chemische Berichte 94 (1961) S. VII bis CVIII

Richard Willstätter (1915)
R. Willstätter und A. Stoll: Untersuchungen über Chlorophyll. Berlin 1913

R. Willstätter und A. Stoll: Untersuchungen über die Assimilation der Kohlensäure. Berlin 1918
R. Willstätter: Untersuchungen über Enzyme. 2 Bde. Berlin 1928
R. Willstätter: Aus meinem Leben, hrsg. von A. Stoll. Weinheim 1949

Fritz Haber (1918)
Fünf Vorträge aus d. Jahren 1920/23. Berlin 1924
Aus Leben und Beruf. Berlin 1927
Die Naturwissenschaften 16 (1928) Heft 50 (Haber-Heft) (mit Beiträgen von Willstätter, Freundlich, Hevesy, Stern, Terres, Le Rossignol, v. Wrangell, Franck).
R. Willstätter: Zum Gedächtnis von Fritz Haber. Aus meinem Leben, hrsg. von A. Stoll. Weinheim 1949. S. 241–277

Walther Nernst (1920)
K. Mendelssohn: Walther Nernst und seine Zeit. Weinheim 1976

Richard Zsigmondy (1925)
Kolloidchemie, 2 Bde. 5. Aufl. Leipzig 1925/27
H. Freundlich: Richard Zsigmondy (1865–1929). Berichte d. Dt. Chem. Gesellschaft 63 (1930) S. 171–175
R. Wegscheider: Nachruf. Almanach d. Akademie d. Wiss. Wien 80 (1930) S. 262–268

Heinrich Wieland (1927)
Konstitution der Gallensäuren. Berichte d. Dt. Chem. Gesellschaft 67 A (1934) S. 27–39
Über den Verlauf der biologischen Oxydation. Die Naturwissenschaften 34 (1947) S. 111–114
Über den Mechanismus der Oxydationsvorgänge. Ergebnisse der Physiologie 20 (1922) S. 477–518
R. Pummerer: Heinrich Wieland. In: Geist und Gestalt. Biographische Beiträge zur Geschichte der Bayerischen Akademie der Wissenschaften. Bd. II. München 1959. S. 192–209
F. G. Fischer: Heinrich Wieland. Jahrbuch d. Bayerischen Akademie d. Wissenschaften 1959 S. 160–170

Adolf Windaus (1928)
Aus der Geschichte des antirachitischen Vitamins. Nachrichten von der Gesellschaft der Wissenschaften zu Göttingen. Math.-physik. Kl. Fachgruppe 3. N.F. Bd. 1. Nr. 17 (1936) S. 175–184
A. Butenandt: Zur Geschichte der Sterin- u. Vitamin-Forschung. Adolf Windaus zum Gedächtnis. Angewandte Chemie 72 (1960) S. 645–651
R. Erckmann: Adolf Windaus. In: Via triumphalis. Hrsg. von R. Erckmann. München – Wien 1954. S. 212–230

Hans Fischer (1930)
Die Chemie des Pyrrols. Bd. 1 Leipzig 1934 (mit H. Orth). Bd. 2,1 Leipzig 1937. Bd. 2,2 Leipzig 1940 (mit A. Stern)
A. Treibs: Das Leben und Wirken von Hans Fischer. München 1971
K. Zeile: Das Lebenswerk Hans Fischers. Die Naturwissenschaften 33 (1946) S. 289–291

Carl Bosch (1931)
Mitteilungen über die Verarbeitung des Ammoniaks auf Düngesalze. Zeitschr. f. Elektrochemie 24 (1918) S. 361–369
Der Stickstoff in Wirtschaft und Technik. Verhandl. d. Gesellschaft d. Dt. Naturforscher u. Ärzte 1920 S. 27–46
K. Holdermann: Im Banne der Chemie. Leben und Werk von Carl Bosch. Düsseldorf 1953

Friedrich Bergius (1931)
Die Verflüssigung der Kohle. Zeitschr. VDI 69 (1925) S. 1313–1320; 1359–1362
E. v. Schmidt-Pauli: Friedrich Bergius. Berlin 1943

Richard Kuhn (1938)
Vitamine und Arzneimittel. Angewandte Chemie 55 (1942) S. 1–6
Über einige Probleme der biochemischen Genetik. Angewandte Chemie 61 (1949) S. 1–6

W. Doerr: Richard Kuhn zum 65. Geburtstag. Ruperto-Carola Jg. 17, Bd. 38 (1965) S. 262–264
G. Quadbeck: Richard Kuhn. Fortschritte der Medizin 85 (1967) S. 689

Adolf Butenandt (1939)
Untersuchungen über das weibliche Sexualhormon. Abhandlungen d. Gesellschaft der Wissenschaften zu Göttingen, math.-physik. Kl. III. Folge Heft 2 Berlin 1931
Neuartige Probleme und Ergebnisse der biologischen Chemie. Jahrbuch der Max-Planck-Gesellschaft. S. 15–41
R. Carstensen: Adolf Butenandt. In: Via triumphalis. Hrsg. von R. Erckmann. München – Wien 1954 S. 244–253

Otto Hahn (1944)
Otto Hahn. In Selbstzeugnissen und Bilddokumenten. Dargestellt von Ernst H. Berninger. (Rowohlts Bildmonographien = rm 204) Reinbek 1974
O. Hahn: Vom Radiothor zur Uranspaltung. Braunschweig 1962
O. Hahn: Mein Leben. München 1968
O. Hahn: Erlebnisse und Erkenntnisse. Düsseldorf 1975

E. H. Berninger: Otto Hahn — Eine Bilddokumentation. München 1969
E. Berninger: Otto Hahn. 1879—1968. Inter Nationes Bonn und Heinz Moos Verlag München 1970

Otto Diels (1950)
O. Diels, J. H. Blom und W. Koll: Über das aus Cyclopentadien u. Azoester entstehende Endomethylen – piperidazin u. seine Überführung in 1,3-Diamino-cyclopentadien. Liebigs Annalen d. Chemie 443 (1925) S. 242–262
O. Diels und K. Alder: Synthesen in d. hydroaromatischen Reihe. Anlagerungen von »Di-en«-Kohlenwasserstoffen. Liebigs Annalen 460 (1928) S. 98–122
O. Diels, W. Gädke und P. Körding: Über d. Dehydrierung d. Cholesterins. Liebigs Annalen d. Chemie 459 (1927) S. 1–26
S. Olsen: Otto Diels. Chemische Berichte 95 (1962) Nr. 2. S. V–XLVI
H. Wieland: Otto Diels. Jahrbuch d. Bayer. Akad. d. Wiss. 1954 S. 200–202

Kurt Alder (1950)
Die Methoden der Dien-Synthese. In: Handbuch der biologischen Arbeitsmethoden, hrg. E. Abderhalden. Abtlg. I, 2, 2. Berlin–Wien 1933. S. 3079–3192
St. Goldschmidt: Kurt Alder. Jahrbuch der Bayer. Akademie der Wissenschaften 1958. S. 197–198
M. Günzl-Schumacher: In memoriam Kurt Alder. Chemiker-Zeitung 82 (1958) S. 489–490

Hermann Staudinger (1953)
H. Staudinger: Organische Kolloidchemie. 3. Aufl. Braunschweig 1950
H. Staudinger: Arbeitserinnerungen. Heidelberg 1961 (mit ausführlicher Bibliographie)

Karl Ziegler (1963)
Folgen und Werdegang einer Erfindung. Angewandte Chemie 76 (1964) S. 545–553
Metallalkyle: Erfolge und zukünftige Möglichkeiten in der industriellen Chemie 45 (1964) S. 194–200
G. Wilke: Karl Ziegler zum 65. Geburtstag. Chemiker-Zeitung 87 (1963) S. 817–818
W. P. Neumann: Karl Ziegler – Träger des Nobelpreises 1963 Gießener Hochschulblätter der Justus-Liebig-Universität Bd. 11 Nr. 2 (1964) S. 17–18

Manfred Eigen (1967)
Wasserstoffbrückensysteme als Medien chemischen Stofftransports. Jahrbuch der Max-Planck-Gesellschaft 1963. S. 66–91
Protonenübertragung, Säure-Base-Katalyse und enzymatische Hydrolyse. Angewandte Chemie 75 (1963) 489–515
M. Eigen. Angewandte Chemie. Beiblatt Nachrichten aus Chemie und Technik 10 (1962) 315

Ernst Otto Fischer (1973)
E. O. Fischer. Angewandte Chemie 71 (1959). Beiblatt Nachrichten aus Chemie und Technik. S. 305

Sachindex

Erläuterung häufiger gebrauchter Begriffe

Ätiologie Lehre von den Krankheitsursachen

Antitoxin im Organismus gebildetes Gegengift

Bakteriostatisch das Wachstum der Bakterien hemmend

Bakterizid bakterientötend

Bohrsches Atommodell Modell des unsichtbaren Atoms, in Analogie zum Planetensystem unter Hinzuziehung des Quantenkonzeptes (siehe dort) entwickelt, durch Sommerfeld zu der Vorstellung von Ellipsenbahnen anstelle von Kreisbahnen der Elektronen erweitert

Brownsche Molekularbewegung submikroskopische (mikroskopisch nicht erfaßbare) Zitterbewegung der Moleküle

Charité Berliner Universitätskliniken

Chemotherapeuticum auf chemischem Wege gewonnenes und wirkendes Heilmittel

Dawes-Plan internationaler, 1924 in London abgeschlossener Vertrag, der den Zahlungsmodus der deutschen Reparationsschuld der wirtschaftlichen Leistungsfähigkeit Deutschlands anpaßte

DESY Deutsches Elektronen-Synchroton, in Hamburg errichtete Forschungsanlage zur Beschleunigung von Elektronen auf 6 Milliarden Volt

Deutsche Friedensgesellschaft 1892 auf Anregung Bertha von Suttners gegründet, stellte das erste pazifistische Programm in Deutschland auf und gewann durch Ludwig Quidde und Hellmut von Gerlach seit dem Ersten Weltkrieg Verbreitung bis zur Auflösung durch den Nationalsozialismus

Deutsche Physikalische Gesellschaft 1845 gegründete Fachorganisation der deutschen Physiker mit zur Zeit etwa 6000 Mitgliedern

Diffusion das langsame Durchtreten von Flüssigkeiten oder Gasen durch poröse Wände, wobei leichte Moleküle schneller diffundieren als schwere, so daß eine Trennung möglich ist

Doppelbindungen doppelwertige (mit zwei »Verbindungsarmen« ausgestattete), aber weniger stabile Verbindung zweier Atome

Dopplereffekt Frequenzverschiebung bei einer Änderung der Entfernung zwischen Schall- oder Lichtquelle und Beobachter

Dualitätsprinzip der Quantentheorie (siehe dort) entsprechend werden das Licht und die Materie aus Wellen wie aus Korpuskeln bestehend gedacht

Elektron die Hülle des Atoms bildendes Elementarteilchen

Enzyme identisch mit dem Begriff Fermente

Fermente von Organismen erzeugte Stoffe, die in kleinsten Mengen den Ablauf chemischer Reaktionen steuern

Festkörper kristallförmig aufgebaute Materie, zum Beispiel Eisen, im Unterschied zu unterkühlten Flüssigkeiten wie etwa Glas

Freie Radikale ungesättigte (mit freien »Verbindungsarmen« versehene) Atomgruppen

Hittorf-Crookessche Röhre Röhre zur Erzeugung von Elektronenstrahlen

Hormone von bestimmten Drüsen erzeugte Stoffe zur Steuerung der Lebensvorgänge

Interferenz Verstärkung und Schwächung der Intensität von Wellen bei Überlagerung

Ionen elektrisch geladene Atome oder Atomgruppen

Kaiser-Wilhelm-Gesellschaft zur Förderung der Wissenschaften 1911 in Berlin mit dem Ziel gegründet, durch die Errichtung und Erhaltung vorwiegend naturwissenschaftlicher Institute, der *Kaiser-Wilhelm-Institute*, hervorragenden Gelehrten Gelegenheit zur Forschung ohne gleichzeitige Verpflichtung zum Hochschulunterricht zu geben. Als Nachfolgerin wurde 1948 mit Sitz in Göttingen die *Max-Planck-Gesellschaft* gegründet, die ihre Institute im wesentlichen aus Mitteln der öffentlichen Hand und Spenden der Wirtschaft unterhält, wobei jedoch die völlige Unabhängigkeit in der Forschung garantiert ist

Kanalstrahlen Strahlen von geladenen Atomen (Ionen)

Katalysator die Geschwindigkeit einer chemischen Reaktion erhöhender Stoff

Kathodenstrahlen Strahlen von Elektronen

Kekulésche Strukturlehre Theorie über die Verkettung der Kohlenstoffatome (siehe Kohlenstoffkette)

Kohlenstoffkette kettenförmige Verbindung der Kohlenstoffatome, meist zu großen Molekülen

Kolloid aus Millionen von Molekülen zusammengesetztes, aber dennoch mikroskopisch oder submikroskopisch kleines Teilchen

Konstitution Anordnung der Atome im Molekül

Locarno Tagungsort in der Schweiz, an dem im Oktober 1926 Vereinbarungen über ein gegenseitiges Sicherheitssystem in Westeuropa unterzeichnet wurden, wobei Deutschland erstmals seit dem Weltkrieg wieder als vollwertiger Partner akzeptiert wurde

Max-Planck-Gesellschaft (Institute) siehe Kaiser-Wilhelm-Gesellschaft (Institute)

Molekül Baustein der Materie, bestehend aus mindestens zwei, in der Regel aus mehreren Atomen, die bei chemischen Elementen gleichartig, bei chemischen Verbindungen verschiedenartig sind

Neutron ungeladenes Elementarteilchen, Bestandteil des Atomkerns

Phlegmone Bindegewebsentzündung

Photosynthese Aufbau der lebenden Substanz mit Hilfe des Sonnenlichts

Phylogenetisch auf die Stammesentwicklung der Lebewesen bezüglich

Physikalisch-Technische Reichsanstalt gegründet 1887, heute als Physikalisch-Technische Bundesanstalt mit Sitz in Braunschweig oberste Bundesbehörde für das Prüfungs-, Eich -und Zulassungswesen

Polymerisation Verbindung sehr vieler gleichartiger Atomgruppen zu Riesenmolekülen, grundlegendes Verfahren der Kunststoffindustrie

Proton positiv geladenes Elementarteilchen, Bestandteil des Atomkernes

Protozoen Urtiere, meist mikroskopisch kleine Einzeller, zum Beispiel Amöben

Pyrrolchemie Aufbau und Abbau der Moleküle, die Pyrrol enthalten. Wichtige Abkömmlinge des Pyrrol sind das Chlorophyll und der Blutfarbstoff

Quantenkonzept Vorstellung, daß sich manche Naturgrößen nicht stetig, sondern sprungweise ändern. Revolutionärer Bruch mit einem auf Newton und Leibniz zurückgehenden Grundbegriff der klassischen Physik: dem Kontinuitätsprinzip, nach dem jede spätere Konfiguration aus einer bestimmten Anfangslage mit Hilfe der Bewegungsgesetze als errechenbar galt

Quantenmechanik, Quantentheorie mathematisch formulierte Theorie, 1925–1927 erreichte Endstufe des Quantenkonzeptes

Kopenhagener Deutung: von Bohr und Heisenberg begründete Interpretation des quantentheoretischen Kalküls (siehe auch Unschärferelation)

Relativitätstheorie gegen die Vorstellung der klassischen Physik von der Unveränderlichkeit der Größen Raum und Zeit gerichtete, von Einstein entwickelte Theorien über die Struktur der Raum-Zeit-Welt:

die *spezielle Relativitätstheorie* korrigiert die Newtonsche Mechanik im Bereich hoher Geschwindigkeiten (Änderung der Massen, Längen, Zeiten)

die *allgemeine Relativitätstheorie* deutet die Gravitation neu als eine Krümmung des Raumes

Ringsystem organische Verbindung, in deren Strukturformel geschlossene, ringförmige Zusammenschlüsse von Atomen auftreten

Seitenkette in der Strukturformel als Abzweigung auftretender Teil eines größeren organischen Moleküls

Sterine Klasse von Naturstoffen, deren bekanntester Vertreter das Cholesterin ist, zu dessen Derivaten – den Steroiden – die Geschlechtshormone und das Vitamin D gehören

Synthese Darstellung komplizierterer chemischer Verbindungen aus einfacheren Ausgangsstoffen

Szintillationszähler Nachweisgerät für Elementarteilchen und Atomkerne, das auf dem Entstehen von Lichtblitzen beim Auftreffen von Teilchen auf fluoreszierende Stoffe beruht

U 235 Symbol für den Uran-Atomkern mit insgesamt 235 Protonen und Neutronen

Unschärferelation von Heisenberg aus der Quantenmechanik abgeleitete Beziehung, die zum Ausdruck bringt, daß gewisse Größen, zum Beispiel die Lagekoordinaten und der Impuls (Masse mal Geschwindigkeit) eines Teilchens nie zugleich genau meßbar sind. Verbessert man die Meßgenauigkeit der einen Größe, so verschlechtert man die der anderen

Vitamine vorwiegend von Pflanzen in sehr kleinen Mengen gebildete Wirkstoffe, die für den normalen Stoffwechsel des menschlichen und tierischen Körpers unentbehrlich sind und deren Fehlen Mangelkrankheiten hervorruft

Personenregister

Kursive Zahlen verweisen auf Abbildungen

Adenauer, Konrad * 5.1.1876 Köln, † 19.4.1967 Rhöndorf 29

Adorno, Theodor * 11.9.1903 Frankfurt, † 6.8.1969 Brig (Wallis). Philosoph, Soziologe und Komponist. Wurde vor allem durch seine an Hegel und Marx anknüpfende Sozialkritik bekannt 44

Alder, Kurt * 10.7.1902 Königshütte, † 20.6.1958 Köln 163, *164,* 165

Arrhenius, Svante * 19.2.1859 bei Uppsala, † 2.10.1927 Stockholm. Schwedischer Physikochemiker. Begründete mit Ostwald und van't Hoff die physikalische Chemie. Nobelpreis für Chemie 1903 131, 132, 140

Auer von Welsbach, Carl Freiherr * 1.9.1858 Wien, † 4.8.1929 Schloß Welsbach. Österreichischer Chemiker. Analysierte die seltenen Erden und erfand die Metallfadenlampe 140

Baeyer, Adolf von * 31.10.1835 Berlin, † 20.8.1917 Starnberg bei München 125, *127,* 128, 129, 133, 135, 143

Becquerel, Henri * 15.12.1852 Paris, † 25.8.1908 le Croisic. Französischer Physiker. Erhielt für die Entdeckung der Eigenstrahlung des Uran 1903 den Nobelpreis 83

Behring, Emil von * 15.3.1854 Hansdorf/Ostpreußen, † 31.3.1917 Marburg 51, 52, *53*

Bergius, Friedrich * 11.10.1884 Goldschmieden bei Breslau, † 31.3.1949 Buenos Aires *151,* 152

Bernadotte, Graf Lennart * 1909. Initiator und Leiter des jährlichen internationalen Treffens der naturwissenschaftlichen Nobelpreisträger in Lindau 165

Binnig, Gerd * 20.7.1947 Frankfurt am Main *120,* 121, 122

Bloch, Konrad * 1912. Amerikanischer Biochemiker 75

Bohr, Niels * 7.10.1885 Kopenhagen, † 18.11.1962 Kopenhagen. Dänischer Physiker. Stellte 1913 das Bohrsche Atommodell auf und 1927 zusammen mit Heisenberg die Kopenhagener Deutung der Quantentheorie. Nobelpreis 1922 97, 101, 105, 108, 110

Böll, Heinrich * 21.12.1917 Köln, † 16.7.1985 Bornheim b. Bonn *46,* 47

Boltzmann, Ludwig * 20.2.1844 Wien, † 5.9.1906 Duino. Österreichischer Physiker. Schuf wesentliche Grundlagen der statistischen Mechanik, so die statistische Deutung des zweiten Hauptsatzes der Wärmetheorie 140

Born, Max * 11.12.1882 Breslau, † 5.1.1970 Göttingen 102, 105, *109,* 110, 111, 115

Bosch, Carl * 27.8.1874 Köln, † 26.4.1940 Heidelberg 149, 150, *151,* 152

Bothe, Walter * 8.1.1891 Oranienburg, † 8.2.1957 Heidelberg 108, *109*

Brandt, Willy * 8.12.1913 Lübeck *28,* 29, 30

Braun, Karl Ferdinand * 6.6.1850 Fulda, † 20.4.1918 New York *88,* 89

Briand, Aristide * 28.3.1862 Nantes, † 7.3.1932 Paris. Französischer Staatsmann. Trat für enge freundschaftliche Verbindungen der europäischen Staaten ein. Friedensnobelpreis 1926 19, 20

Buchner, Eduard * 20.5.1860 München, † 13.8.1917 Feldlazarett Foscani/Rumänien 129, *130,* 131

Bunte, Karl * 15.6.1878 München, † 3.11.1944 Baden-Baden. Chemiker an der TH Karlsruhe. Arbeitete vor allem über Gastechnik 138

Burckhardt, Carl Jacob * 10.9.1891 Basel, † 3.3.1974 Genf. Schweizer Diplomat und Historiker. 1937–1939 Völkerbundkommissar in Danzig, bemühte sich um Ausgleich zwischen Deutschland und Polen 26

Butenandt, Adolf * 24.3.1903 Wesermünde 156, *157,* 158

Caro, Heinrich * 13.2.1834 Posen, † 11.9.1910 Dresden. Chemiker bei der BASF. Einer der Pioniere der Teerfarbenindustrie 129

Chadwick, James * 20.10.1891 Manchester, † 24.7.1974 Pinehurst. Englischer Kernphysiker. Entwickelte Nachweismethoden für Atomkerne und Elementarteilchen. Nobelpreis 1935 107, 108

Cohnheim, Julius * 20.7.1839 Demmin, † 15.8.1884 Leipzig. Professor für anatomische Pathologie. Arbeitete hauptsächlich über Entzündung und Eiterung sowie über den Feinbau der quergestreiften Muskelfasern 56

Curie-Joliot, Irène * 12.9.1897 Paris, † 16.3.1956 Paris. Französische Kernphysikerin. Ehefrau und Mitarbeiterin von Frédéric Joliot, erhielt mit ihm zusammen 1935 den Nobelpreis für Chemie 108

Diels, Otto * 23.1.1876 Hamburg, † 7.3.1954 Kiel 163, *164,* 165

Domagk, Gerhard * 30.10.1895 Lagow/Brandenburg, † 24.4.1964 Burgberg/Schwarzwald 66, 69, 70

Du Bois-Reymond, Emil * 7.11.1818 Berlin, † 26.12.1896 Berlin. Physiologe. Setzte die physikalische Methode in der Physiologie durch 132

Ehrlich, Paul * 14.3.1854 Strehlen/Schlesien, † 20.8.1915 Bad Homburg 57, *58,* 59

Eigen, Manfred * 9.5.1927 Bochum *169,* 170

Einstein, Albert * 14.3.1879 Ulm, † 18.4.1955 Princeton/New Jersey *12,* 29, 87, 94, 96, 97, *98,* 99, 100, 110, 140

Engler, Karl * 5.1.1842 Weisweil, † 7.2.1925 Karlsruhe. Professor der Chemie an der TH Karlsruhe. Befaßte sich unter anderem mit der Analyse des Erdöls 138

Enzensberger, Hans Magnus * 11.11.1929 Kaufbeuren. Lektor, Schriftsteller und Essayist mit sozialkritischem Impetus 44

Eucken, Rudolf * 5.1.1846 Aurich/Ostfriesland, † 15.9.1926 Jena 33, *34,* 35

Ewald, Peter Paul * 23.1.1888 Berlin, † 22.8.1985 Ithaca (N.Y.). Deutschamerikanischer Physiker. Schüler Arnold Sommerfelds, langjähriger Präsident der Internationalen Union für Kristallographie 93

Fermi, Enrico * 29.9.1901 Rom, † 28.11.1954 Chicago. Italienisch-amerikanischer Kernphysiker. Setzte 1942 im Atomreaktor die erste Kettenreaktion zur Erzeugung von Kernenergie in Gang. Nobelpreis 1938 161

Fischer, Emil * 9.10.1852 Euskirchen, † 15.7.1919 Berlin 125, *126,* 129, 135, 141, 146, 159, 163

Fischer, Ernst Otto * 10.11.1918 Solln bei München 171, 172, *173*

Fischer, Hans * 27.7.1881 Höchst/Main, † 31.3.1945 München *147,* 148

Fontane, Theodor * 30.12.1819 Neuruppin, † 20.9.1898 Berlin. Preußischer Schriftsteller. Seine Romane sind literarische Kunstwerke und kulturgeschichtlich-soziologische Quellen zugleich. Mit seiner